IoTと日本のアーキテクチャー戦略

柴田友厚

光文社新書

ＩｏＴと日本のアーキテクチャー戦略——目次

序　章　なぜアーキテクチャー戦略が重要なのか……13

第7章 製造業のデジタル変容史……179

序章

なぜアーキテクチャー戦略が重要なのか

アーキテクチャー戦略は日本の弱点と言って良い。後に詳しく述べるが、中でもコアになるモジュール化の概念はノーベル経済学賞を受賞したハーバート・サイモンによって、1960年代に提起されたものだ。それ以来、世界はその概念を様々な分野で有効活用し実装してきた。だが日本での評価と実装は、世界の潮流と大きくかけ離れてしまい、低い水準にとどまっている。

本書はそのアーキテクチャー戦略とモジュール戦略を取り上げて、それらの概念がいかにして生まれ、世界でどのように議論されて発展してきたのか、にもかかわらず、それらの概念は日本でなぜ誤解されてしまったのか、そして、それは今後の日本の産業競争力にとってどのように重要なのか、といった事柄を紹介するために書かれている。

それにしても、なぜ今なのかという疑問が生じるかもしれない。今日、人工知能（AI）やIoT、5Gなどの新たな革新的要素技術がほぼ同時期に台頭しつつあり、新たな産業革命の時代に入ったのではないか、と指摘されることがある。その中で、来るべき産業社会の構想をどう描くのか、各国が主導権争いを繰り広げている。ドイツは2011年に第4次産業革命（インダストリー4・0）という構想を先駆けて打ち出し、日本政府もそれに続き、Society5.0（ソサイエティ5・0）という類似した構想を打ち出した。

それら産業ビジョンの中核に共通するものは、サイバーフィジカル・システム（Cyber Physical System, ＣＰＳ）という概念である。我々が住む実空間（フィジカル空間）内の人間や機械に関する様々なデータを、ＩｏＴ技術によりインターネットを中心とする仮想空間（サイバー空間）に吸い上げて、そこで蓄積したビッグデータをＡＩ等で分析処理して、その結果を再度、フィジカルにフィードバックさせて有効活用するという構想だ。言い換えれば、フィジカルとサイバーの高度な融合を図ることによって高い価値を生み出すというアイデアである。このようなサイバーフィジカル融合の時代には、アーキテクチャー戦略とモジュール戦略の理解と実装が一層重要になることは間違いないからだ。

0・1　企業経営とアーキテクチャー

経団連会長の危機感

経団連の中西宏明会長（2020年1月当時）の発言を紹介するところから始めよう。中西会長は、2020年1月16日に経済産業省が主催するセミナーで「Society5.0時代におけるアーキテクチャーの考え方」と題する講演を行った。その中で、企業の経営層の人たちが、アーキテクチャーの重要性をきちんと理解することが重要であり、アーキテクチャーは会社で組織を作ったり、事業を設計するのと考え方は同じことだ、と指摘した。

現役の経団連会長が、日本企業の経営層に対してアーキテクチャー理解の重要性をここまで踏み込んで発言するのは驚くべきことかもしれない。講演の中で中西会長は、アーキテクチャーの定義を必ずしも明示しているわけではない。ざっくりと言うならば、アーキテクチャーとは一定の目的を達成するために、まずシステム全体のあるべき姿を俯瞰（ふかん）したうえで、部分間のつなぎ方や関係性に着眼する見方である。つまり、あるべき全体の大きな見取り図をまず定めたうえで、個別要素の関係性を詰めていくというトップダウン的な思考プロセスになる。そういう点では確かに中西会長が指摘するように、企業経営それ自身と共通する側面が多くある。

他方で、日本企業の強みは現場にあるという広く知られた通念がある。現場の強みとそこからの積み上げを重視してきた日本企業にとって、あるべき全体像を俯瞰することを重視するアーキテクチャー思考は馴染みにくいところがあった。現場思考とアーキテクチャー思考では、思考の方向性が真逆だと言っても良いかもしれない。従って、経団連会長がここまで踏み込んだ発言をするということは、Society5.0 の時代に向けて、日本企業はもはや現場の強みだけではやっていけない時代に突入したという危機感の表れとして理解できるように思える。

さらに中西会長は、産業分類を考え直す必要性についても言及している。現在、ＩｏＴが様々な業種で実装されつつあるが、Society5.0 の実現に向けてこの流れが加速することは間違いない。ＩｏＴ経由で吸い上げた多種多様なデータを共有して有効活用し、価値を生み出すには、従来の産業分類に囚われるのではなくて、実現価値ごとの新しい産業分類を考え出しデータを流通させる必要がある、という。

従来の産業分類は、電機や運輸など提供する製品やサービスごとの分類だったが、そうではなく実現価値別の分類が必要になるという主張だ。実現価値とは、例えば「快適な移動」や「脱炭素・快適なエネルギー環境」など消費者へ提供する価値のことを言う。

快適な移動という価値別の切り口で考えると、自動車、鉄道サービス、インフラ等は同じ分類にして考えた方が有効だということになる。つまり産業全体をどういう切り口で分けるのか、そして分けた個別産業をどう連携させるのかということになるのだが、これはまさに産業アーキテクチャーを再考することに他ならない。ここでは個別産業の具体的内容というよりも、産業全体の大きな関係性や仕組みのあるべき姿を問うているのだ。

そもそもアーキテクチャー戦略とは何か

ここで若干抽象的になるが、アーキテクチャーの意味合いを共有しておこう。まずアーキテクチャーは、システムのあるべき全体像を描くことから出発する。産業や組織、製品、ビジネス等はすべてシステムの特性を持つからアーキテクチャー戦略の対象になる。そしてシステム全体の仕組みを設計するに際して、全体をどう分割するのか、そして分割したもの同士をどういう仕組みやルールでつなぐのかという二つの観点に着目して物事を進めていくのがアーキテクチャー思考である。

言い換えると、アーキテクチャー戦略の策定は次の二つを決めることに他ならない。第一に、システム全体の分割と分業の構造を決めることであり、そして第二に、インタフェースのルールを決めることである。要するに全体の分業構造づくりとインタフェース・ルールづくり、この両方を行うことがアーキテクチャー戦略の要諦（ようてい）と言って良い。個別の具体的中身よりも、全体のつながりや要素間の関係性を問うのがアーキテクチャーに立脚した物事の見方である。

アーキテクチャーは単に全体構造を決めることと同義ではない。まったく同じ意味であれば、アーキテクチャーという概念をわざわざ作り出す必要はない。全体構造の中でも、特に前述の二つ、つまり分割の仕方とインタフェースに着眼するのがアーキテクチャーという概念の特徴なのである。アーキテクチャー研究の中でも先行して研究が行われてきたのが製品に関する領域である。製品は、複数の部品で作られる典型的なシステムだからだ。

0・2 アーキテクチャー重視に舵を切ったトヨタ自動車

トヨタが陥った「無駄な差別化」
——TNGA（トヨタニューグローバルアーキテクチャー）への転換

近年、日本を代表する多国籍企業が次々と、アーキテクチャー重視の製品戦略へと舵を切っている。後述する世界最大手の空調機メーカーであるダイキン工業や、ここで紹介するトヨタ自動車はその典型例だ。ここでは、トヨタ自動車が近年車の開発戦略を大きく転換した例を紹介しよう。

トヨタでは従来、主査（チーフエンジニア）が担当車種に全責任を持ち、それぞれの市場ニーズに合致した個別最適な車を設計してきた。主査は担当車種の価値を最大限に高めようとする動機を強く持つために、細かな点まで独自色を出そうとする。きめの細やかな点に至るまで、違いを創り出そうとすることになる。この主査制度は、トヨタの成功を下支えしたトヨタ独自の開発の仕組みとして、広く知られているものだ。だがいかなる優れた制度であっても、光は必ず影を作り出す。

成功をもたらした主査制度の影は、製品バリエーションの増大となって表れた。例えば、車の骨格ともいうべき基本プラットフォーム（ＰＦ）を約20種類と定めていても、現実には小分類まで含めると１００種類以上になった。エンジンも事情は同様だった。基本形式は16と定めているのだが、排気規制対応などで次々と種類が増大して現実には８００種類以上になっていたのである。

つまりあるべき姿を描いていても、それ以上のバリエーションが現実には作られてしまうというのが、近年のトヨタが直面した課題だった。個々の市場ニーズに最適な車づくりを優先したために、その結果、車種が膨大に増えてコストが増大していったのである。

さらに、トヨタがグローバル戦略を加速し成功すればするほど、この問題は一層切実なものになっていった。台頭する新興国市場の独自ニーズにきめ細かく対応しようとすればするほど、製品バリエーションが増えすぎて収拾不可能になっていったからである。個々の市場ニーズへの最適な車づくりは、それが価値を生む差別化である限りにおいては、決して悪いわけではない。問題は製品バリエーションが増えすぎて、顧客に対して意味ある価値を提供できていない「無駄な差別化」に陥ってしまったという点にあった。

そこでトヨタは２０１１年から車の作り方を変更して、商品力向上と原価低減の同時達成を目的とするＴＮＧＡ（Toyota New Global Architecture）プロジェクトをスタートした。筆者がインタビューしたトヨタの技術者はＴＮＧＡの狙いを「無駄な差別化を排除するためだ」と明言した。

トヨタが理想とする車の原型をアーキテクチャーという上位概念として策定し、あくまでもその枠内で個別機種を開発し、安易に新しい部品を開発しないというのがＴＮＧＡの考え方だ。そのたびごとに新しい部品を開発せずに、顧客ニーズに合致した車を開発する手法がＴＮＧＡだと言い換えることもできる。

そのために、あるべき車とはどういうものかという全体構想を俯瞰的にまず設計するというアーキテクチャー重視へ転換した。従来の個別最適な車づくりとアーキテクチャー重視では、車づくりの考え方が違う。その違いを簡単に図示すると図表１のようになる。

アーキテクチャー重視では、まず、中長期的な製品シリーズを構想する製品戦略が必要になる。そのためには、顧客ニーズの動向に関する知識、差別化要因のポイントなど市場動向に関する知見、さらに要素技術に関する技術知識など、市場と技術の両方に関する知識、経験、ノウハウが必要になる。そのうえで一連の製品シリーズ全体に通底する最大公約数とし

中長期の製品戦略から、まず上位概念としてのアーキテクチャーを決める。次にその枠内で個別機種の設計を考える。これは従来の開発戦略と真逆の思考プロセスである

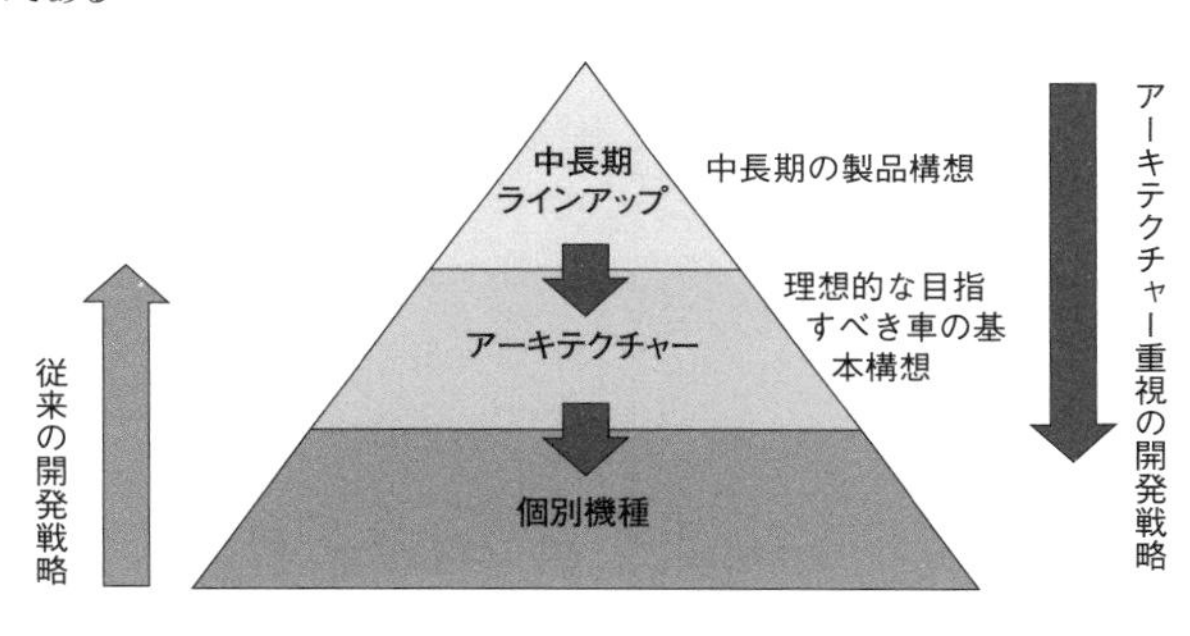

出所：『日経Automotive』2016年１月号を一部修正

図表１　アーキテクチャー重視の開発戦略

てのアーキテクチャーを策定し、その枠組みのもとで、個別機種を開発するというトップダウン的な流れを辿る。図表１では矢印は上から下に向かう。他方で従来は、製品全体に通底する基本枠組みを事前に定めずに、最初から個々の市場ニーズに最適な個別機種を作る方向で製品開発を進めていった。いわばボトムアップ的な進め方と言っても良いだろう。図表１で、矢印が下から上に向かっているのはそれを表している。

「複雑性の壁」を超えるために

ここでＴＮＧＡのより具体的イメージを持ってもらうために、進め方の一端を紹介しよ

う。

ＴＮＧＡではまず多くの部品を機能ごとの部品群に大別する。そして設計の自由度に応じて部品群を「固定領域」「選択領域」「自由領域」の三つの設計領域に分けた。固定領域は文字通り、トヨタの車すべてが共通して順守しなければならない部品領域である。守るべき制約条件がルールとして厳密に課されている設計領域である。この領域内の設計仕様については、たとえ個別最適な車を作るためであっても変更することはできない。この設計ルールを順守することが、理想とする車づくりにつながるとトヨタは考えているからだ。

そして、選択領域については、複数の設計の選択肢の中から、合致した設計パラメータを選択する。複数の選択肢が存在するという意味で、順守すべきルールは固定領域よりは緩い。さらに自由領域内の設計パラメータについては、守るべきルールは存在せず主査が文字通り自由に設計できる。

このようにＴＮＧＡでは、主査は設計領域に課せられた制約条件に従って、一定の大きな枠内で担当車種を設計することになる。その結果従来と比べると、主査の自由度は制限されることになる。この点は、あるべき理想の姿を反映させたルール順守を重視するＴＮＧＡと従来の手法との大きな違いの一つだろう。

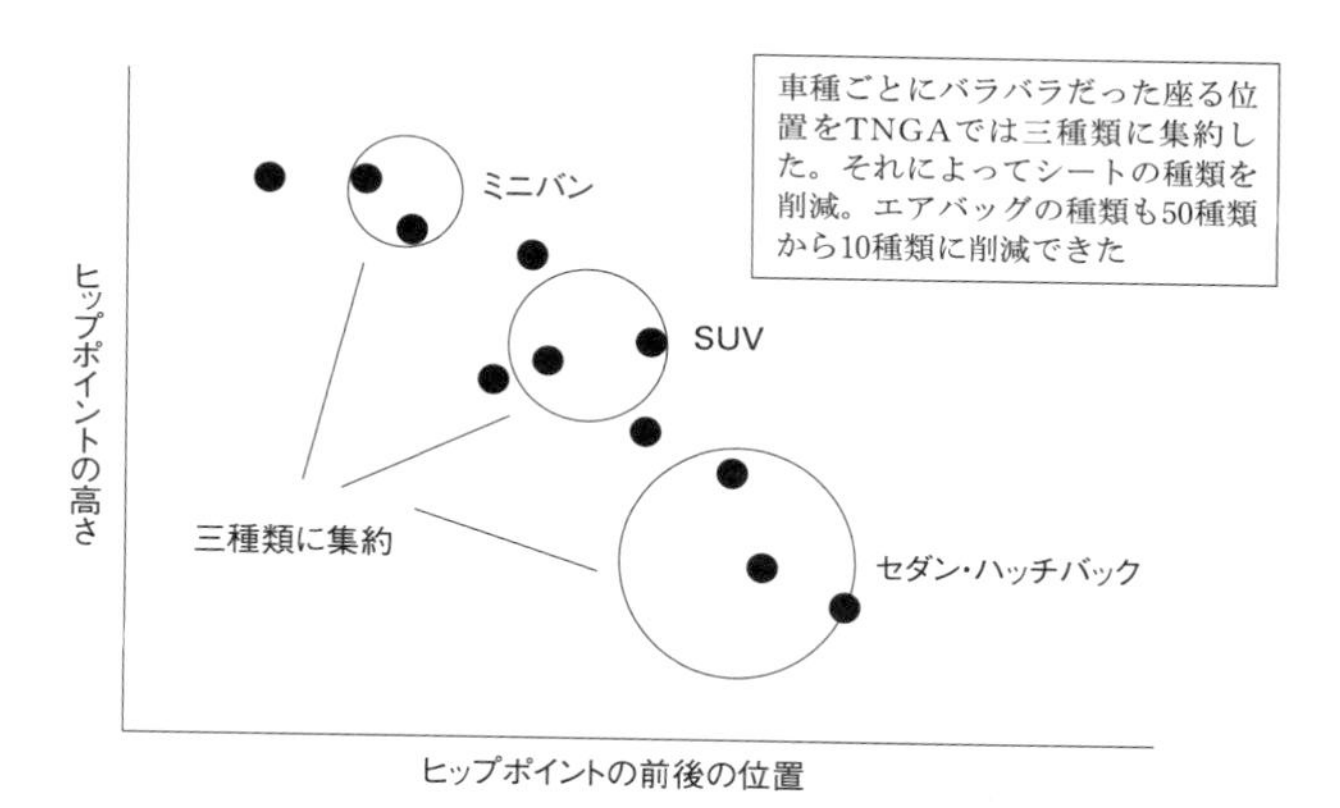

出所：『日経Automotive』 2016年1月号を一部修正

図表2　TNGAによるヒップポイント（運転手の座る位置）の集約化

ヒップポイント（運転手の座る位置）は、車の設計において重要な設計パラメータの一つだが、それがどのように変わったのかを見てみよう。図表2はヒップポイントを、前後の位置と高さの2次元でマッピングしたものである。TNGA導入前は、車種ごとにてんでバラバラだった座る位置を、TNGAでは三種類に集約させた。その際、人がどんな姿勢で座ると快適で疲れにくくなるのかを、これまでの人間工学の経験を注ぎ込んで理想的な三種類を選択した。ヒップポイントを三種類に集約したことによって、50種類あったエアバッグは10種類に集約できたのである。同様にシートの種類も大幅に削減できた。

アーキテクチャーに関する既存研究は、ア

ーキテクチャー戦略を開発・設計のみに限定された課題として捉えてしまうと成功しないことを明らかにしている。アーキテクチャー戦略の実行では、経営トップがコミットして全社的な重要課題として取り組むことが必要になるからだ。

ではトヨタの場合どうだったのか。トヨタは2013年から社長直轄のTNGA企画部を新設して、そこが主導権を取って前述のようなルールを策定していった。つまり、トヨタはトップが旗を振ってアーキテクチャー重視への転換を推し進めた。こうしてTNGAで開発された車は、2015年の4代目プリウスから順次市場に投入されていった。2011年にTNGAプロジェクトがスタートしてからほぼ4年を要したことになる。

TNGAの効果はどの程度あったのだろうか。2019年6月29日、トヨタ本社で行われた吉田守孝副社長（当時）の報告によれば、開発工数は25％向上し、設備投資は25％削減し、車両原価は10％削減したという。これらの数値を見ると確かに原価低減には貢献していることがわかる。だが、TNGAは原価低減だけではなくて商品力向上をも狙っている。果たして当初の狙い通りに、それら二つを同時に達成できるかどうかは、まさにTNGAアーキテクチャーの良し悪しに依存しているのである。

このようにトヨタは、グローバル化を推し進める過程で際限なく増大する複雑性の壁に直面し、その壁を超えるために開発の進め方をアーキテクチャー重視へと転換したのである。後述するダイキン工業の場合でも、極めて類似したストーリーが展開されたことがわかるだろう。もちろん他の日本企業もあてはまることだ。

実は、個別最適を重視する日本企業のこれまでの開発の進め方では、遅かれ早かれ複雑性の壁に直面することは既に指摘されていたことなのである。グローバル化がこの問題を一層顕著に浮き彫りにし、これ以上先延ばしできない課題として急速に台頭してきたと言って良いだろう。

0・3　日本の「タコつぼデジタル化」とアーキテクチャー戦略の欠如

日本の真の課題はデジタル化の遅れか?

2020年、世界は誰一人として想像すらしなかったコロナ禍に突入した。そして日本もその対応に終始することになるが、はからずもその中で、日本はアーキテクチャー戦略の欠如を思い知ることになる。

コロナは日本の抱える様々な潜在的課題を浮き彫りにした。これまでも長らく言われてきたが、しかし緊急度合いが低いために、なかなか正面から課題解決に取り組まれることがなかった課題だ。

その一つはデジタル化の遅れである。産業界でも政府においても、日本はＤＸ（デジタルトランスフォーメーション）への取り組みに遅れてきた、と指摘されることが多い。

だが果たして本当に、日本の課題はデジタル化の遅れにあるのだろうか。

アーキテクチャーの観点に立つと、別の景色が見えてくる。日本の真の課題は単なるデジタル化の遅れではなくて、「タコつぼデジタル化」に陥ってしまったことである。タコつぼデジタル化とは、個別部門や組織内での一定水準のデジタル化はできているが、それが部門や組織の壁を超えて横につながらないことを言う。内部ではデジタル化されていないわけではなく、ＩＴが導入されていないわけでもない。そうではなくて、問題は横への連結性を考慮することなく、内部だけで閉じた形でデジタル化を進めてしまった点にある。

この事情は官民を問わず共通しているが、行政の方が事情は深刻だろう。例えば、中央省庁でも省が違えば独自の基幹ＩＴシステムを導入しているために横につながらない、さらに自治体間でも、使用している住民台帳のフォーマットが違うために自治体同士でつながらない、などだ。新型コロナ対応のための一律10万円給付に際しては、国と自治体のシステムが連携できないことが露呈してしまった。給付金の申請に際して、国が推奨するオンラインではなくて、郵送で行うよう呼び掛ける自治体が相次いだ。デジタル技術ではなくて、まだ紙と人手に頼らざるを得ない日本社会だったことを改めて認識することになった。

なぜこれほどにも、横につながらない分断されたシステムになってしまったのか。背景にあるのは、自治の原則のもとで各自治体が個別に独自様式の住民台帳を決め、それに合ったＩＴシステムを各自で導入してきたという経緯である。その結果、横につながらない独自のＩＴシステムが、自治体の数だけ存在するという状況が生まれた。まず全体を俯瞰して、全体をどう分けてどうつなげるのかというアーキテクチャー戦略を立てないままで、各自治体が個別事情に最適なデジタル化を独自に進めてしまった。全体を俯瞰してあるべき姿を先に考える手間暇を省いて、各自治体の個別事情を最優先した結果と言っても良いだろう。

政府は２０２１年、コロナ禍で露呈したデジタル化の遅れを取り戻すべく、司令塔としてデジタル庁を設立した。そこでは、「タコつぼデジタル化」を解決するための旗振りも期待されている。そのために、自治体の基幹ＩＴシステムをできるだけ標準化して統一する政策も、重要な取り組みの一つとして掲げられている。

第4次産業革命とサイバーフィジカル

我々は現在、どのような歴史的立ち位置にいるのだろうか。それをまず俯瞰しておこう。図表3を見ていただきたい。産業革命以来、今日に至るまでの人類の産業発展史を概観したものだ。

周知のように第1次産業革命は18世紀後半に英国から始まった。そのキーワードは、機械化であり、それを可能にしたものは蒸気機関の発明だ。道具を使っていたものを機械化するというのが大きな流れだ。例えば団扇(うちわ)という道具を使って風を起こしていたものが、扇風機により機械化されたというのが、道具から機械化へのわかりやすい例であろう。その後の第2次産業革命では、電力の活用が進み、自動車の大量生産モデルが誕生した。キーワードは電化である。

第3次産業革命は、コンピューターとインターネットの誕生により始まったが、１９８０

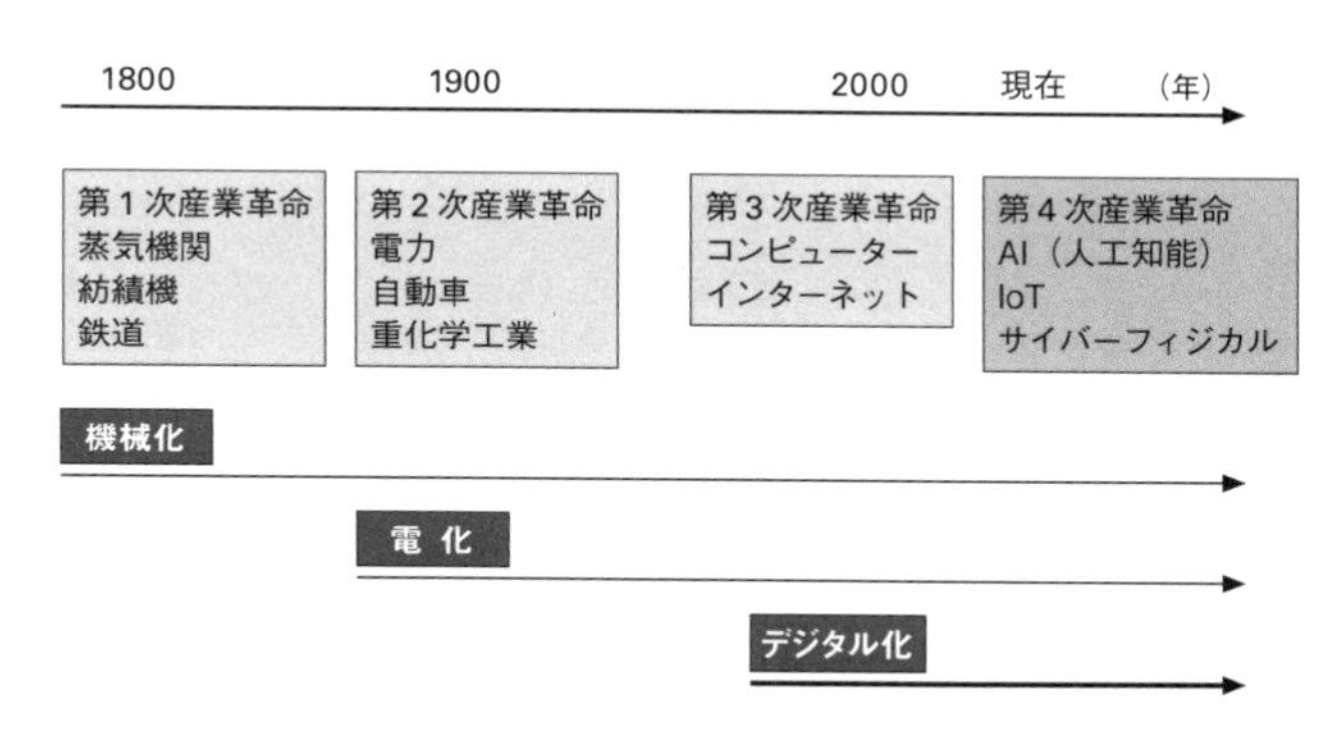

出所：著者作成

図表３　産業発展史概観

年代のパソコンの普及によりこの流れは一層加速された。ここでのキーワードはデジタル化だが、このデジタル化の流れは今でも途切れることなく続いている。一層加速していると言っても良いだろう。そして今、デジタル化の延長線上において、第４次産業革命の時代に入ったと指摘されることがある。第４次産業革命の目指すところは、企業や産業の壁を超えて、情報やデータをできるだけ広く横断的に共有させ、必要なところに流通させて、全体最適な産業社会の仕組みを作ることである。

その実現のためには、あらゆる製品、機械やサービスなどをインターネットにつなげてデータを収集するＩｏＴが重要なツールになる。ＩｏＴ経由で実世界の様々なデータを収集してビッグデータとしてサイバーに蓄積し、ＡＩなどを使って高度な分析をする、そしてさらに、それらの結果は、実世界にフィードバックされて現実の動きに反映される、というイメージだ。そこからフィジカルとサイバーの高度な融合、つまりサイバーフィジカル・システム（ＣＰＳ）という概念が生まれた。

ＣＰＳの具体例を挙げるとすれば、自動運転システムがわかりやすい。自動運転では車に装着されている多くのセンサーが外界の歩行者や車の状況を察知して、収集した外界の膨大なデータをＡＩ等で分析し、車のハンドルやブレーキへ制御の指示を出す。この一連のサイクルを高速で繰り返すのだが、収集した膨大なデータを車両側でリアルタイム処理する場合もあるし、インターネット上のクラウドで処理する場合もある。自動運転が普及した社会では、これらのことが複数メーカーの多種多様な車で同時進行するために、膨大な車の走行データがクラウドに蓄積されることになる。これら車の膨大な走行データを分析して、有効な分析結果を実世界にフィードバックできれば、自動車以外の他産業でも有効活用できる。

車の走行現場のみならず、生産現場や建設現場、そして農業現場など様々な現場で同様の動きが始まっている。建設現場で無人で稼働するブルドーザーや、農地を無人で耕すトラクターなどがそれだ。これらの自動走行制御は、現場のフィジカル機器とサイバーとの有機的な連携、つまりＣＰＳがうまく稼働して初めて可能になる。これらの成否は、ＣＰＳ全体の仕組みをどう構想して、どういう要素に分けてどうつなぐのかというアーキテクチャー戦略の策定に大きく依存する。その意味で、第４次産業革命の時代は、いずれ日本が取り組まなければならなかったアーキテクチャーという課題を、改めて突き付けることになるのだ。

だが、後ほど詳しく述べるように、アーキテクチャーを決めるという作業、とりわけ、コアになるモジュール戦略は大きな誤解を受けて、軽視されてきたと言わざるを得ない。日本企業は標準を決める作業を軽視しており、標準化に後ろ向きだと指摘されることが多い。標準ルールづくりを軽視してきた日本企業の姿は、アーキテクチャーづくりやモジュール戦略を軽視する傾向と通底するものがある。

日本企業のこの傾向は、アーキテクチャーを重視する欧州、特にドイツと比べると顕著だと言って良い。彼らはまず目指すべき全体像を、全体を俯瞰するアーキテクチャーのモデルとして考える。そのようにしてできたのが、インダストリー４・０のレファレンスアーキテクチャーモデル（Reference architecture model Industry4.0）ＲＡＭＩ４・０である（図表４、次ページ）。

この立方体の垂直方向は、バリューネットワーク全体でのレイヤー構成を表現しており、

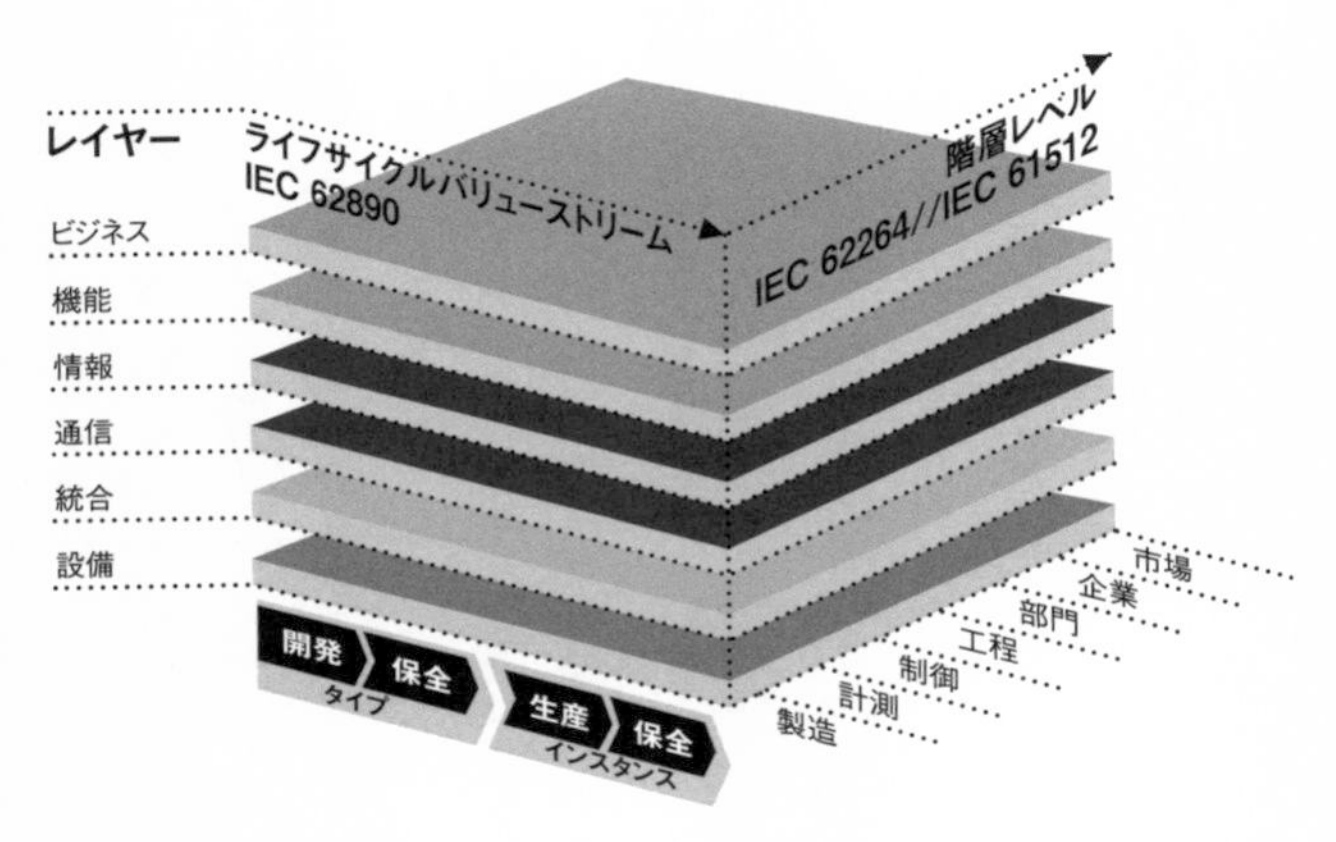

出所：周他（2018）

図表４　RAMI 4.0（レファレンスアーキテクチャーモデルインダストリー4.0）

最上位にビジネス層があり、最下位には設備層がある。立方体の左辺は、製品開発工程を表し、右辺は製造から始まり企業、市場へと向かう生産・事業システム全体の階層を表している。目指すべき全体像が、レファレンスモデルとしてこのように可視化されているのである。レファレンスとは文字通り参照するという意味だが、個別具体例を議論する際にこのモデルを相互に参照しながら、という目的で作られている。

容易に気が付くように、ＲＡＭＩ４・０は非常に広い領域をカバーしているうえに、抽象度が高く解釈にも幅があり、これ自身が何らかの具体的な標準になるということはない。だが、今後の議論を具体的に進めるための土台になり出発点になるという意義はある。特に、個別の詳細な議論にいきなり入ってしまい、他との関係が見えなくなってしまわないように、最初に全体像のイメージをＲＡＭＩ４・０として共有しておくことには大きな意味があると思われる。

ここでＲＡＭＩ４・０を紹介したのは、そのモデル自身の優劣を議論したいわけではなく、全体を俯瞰するアーキテクチャーを考えるとはどういうことなのか、というイメージを具体的に共有したかったからである。物事を俯瞰してあるべき全体像をまず構想し、それをどのような部分で構成し、部分同士をどうつなぐのかというように思考を進めることをアーキテクチャー思考と言う。それは、初めから部分に没入し部分最適にこだわる思考とは正反対の思考法と言って良いだろう。

本書は、まずアーキテクチャー論の系譜を辿り、その誕生と発展の経緯を紹介する。その中で、なぜ日本は世界の大勢に反して、モジュール化を誤解し、低い評価を下してしまったのか、その原因を歴史的に考察する。そのうえで、自動運転等の幾つかの事例を挙げながらアーキテクチャーへの着眼が一体何を生み出すのかを議論する。そして、来るべき第４次産業革命と言われる時代、ＣＰＳのアーキテクチャーはどうなるのかを考察する。

第１章

アーキテクチャー論はいかにして誕生し発展してきたのか

本章はアーキテクチャー概念の始まりから説き起こし、それが世界でどのように議論されていき、今日に至るまで発展していったのかを概観したいと思う。アーキテクチャーは日本語では設計思想と訳される場合が多いことからもわかるように、複雑なシステムを設計する際の全体に通底する思想のようなものだ。従ってシステムであればあてはまる、かなり適用範囲が広い概念だ。このアーキテクチャーとモジュール化という概念の学術的起源は、ノーベル経済学賞（1978年）を受賞したハーバート・サイモンにまでさかのぼることになる。

サイモンは、人間が複雑なシステムを設計する際にどのように設計するのかという設計行為に立ち戻って、アーキテクチャー概念の重要性、そしてモジュール化の威力を既に1960年代に論じた。アーキテクチャー論はそこから始まったと言って良いだろう。

それを指摘したサイモン自身は、工学者ではなくて認知科学や経済科学を専門とする社会科学者だったという点が興味深いところだ。それらは技術的概念でもあるにもかかわらず、社会科学者であるサイモンが関心を持ったという点に、この概念の奥行きと広がりを見て取ることができる。それは、単なる技術の枠にとどまらずに、それを超えて企業と産業そして社会にまで広範な影響をもたらす概念だからなのである。

１・１　時計職人の寓話

サイモンの思考の中心「モジュール化」

組織であれ製品であれ、人間が複雑なシステムを設計する場合、どのようにして設計するのかという理論をサイモンは提唱した。１９６２年、「複雑性のアーキテクチャー（The Architecture of Complexity）」という有名なエッセイの中で、ホラとテンプスという二人の時計職人の比喩を用いてそれを説明する。それは次のようなものだ。

二人の時計職人はともに腕が良く評判も高いために、注文の電話が頻繁にかかってくる。しかし、ホラはますます繁盛していったのに対して、テンプスは次第に貧しくなり遂には店を失ってしまった。それは一体どうしてなのだろうかという問いかけからサイモンは始める。職人としての腕は同じにもかかわらずだ。そこでサイモンは、時計の設計方法の違いに着目する。

仮に、１０００個の部品から構成される時計の場合、ホラとテンプスの方法は次のようなものだった。ホラは、まず10個の部品から構成される第1次中間品を100個作り、その後、第1次中間品10個から構成される第2次中間品を10個作り、最後にそれらの第2次中間品10個を組み立てて時計を作っていく方法を採用した。つまり、第1次中間品と第2次中間品に分けて、時計というシステムを階層的に製作していったのである。

他方テンプスは、中間品を経由することなく1個ずつ順番に部品を積み上げて時計を製作していった。1個目の上に2個目、3個目と1000個に至るまで積み上げていき、その過程で微調整が必要になればその時点で柔軟に行うという方法である。

二つの方法のうち、どちらがより効率的だろうか。サイモンは、中間品を経由して時計を作っていくホラの方法が作業全体の効率性は高いと主張する。サイモンの寓話によれば、時計の評判が高まるにつれて、注文の電話が頻繁に鳴るようになり、そのたびに作業を中断せざるを得なくなった。このような場合、テンプスの方法だと、注文の電話が鳴るまでに積み上げてきたものが全部瓦解するために、最悪の場合、最大999個まで積み上げた部品を犠牲にしなければならない。皮肉なことだが、テンプスの評判が高まり電話による注文が多くなればなるほど、このことはあてはまる。

他方、ホラの方法の場合、電話が鳴るまでに作成した中間品はそのまま活用できるために、中断後、新たな中間品の作成から再開すれば良い。つまり、電話中断による瓦解のリスクを回避することができるのだ。以上のような理由から、ホラの方法の方が、作業全体の効率は高くなり、時計システムの進化するスピードは高まるとサイモンは説明する。

サイモンはそのエッセイにおいて、「複雑なシステムの進化」という小見出しのもとで、この時計職人の寓話を用いている。時計の進化スピードが速いホラの方法は、現在モジュール化と呼ばれている概念と同じだ。ハーバード・ビジネススクール教授のカーリス・ボールドウィンらが著書『デザイン・ルール：モジュール化パワー』で指摘しているように、サイモンのエッセイの中では「モジュール化」という言葉こそ明示的に使っていないが、思考の中心には「モジュール化」の概念が存在していたことは明らかである。つまり、今日では広く有効性が知られたモジュール化の概念は、１９６０年代に誕生し、次第にその威力が知られていったのである。

さらに、サイモンのエッセイの中では指摘されていないことなのだが、ホラの方法を実現するためには、連結ルールの策定が必要になるということを説明しておきたい。

第１次中間品と第２次中間品は最終的に有機的に統合されて、時計としての機能を発揮する必要がある。そのためには、中間品同士を相互にどのように連結して時計として統合するのかという連結ルールを、事前に決めておく必要がある。中間品同士の相互連結ルールを事前に規定しておき、そのルールに従った中間品を作り上げていくことによって初めて、まともな最終製品として統合可能になるからだ。

また、中間品のサイズはどの程度が最適なのかも重要なポイントだが、この点についてサイモンは触れていない。10個サイズが良いのか、あるいは15個なのか20個なのかは必ずしも自明ではないからだ。中間品のサイズをどう設定するかによっても、全体の作業効率は影響を受けるはずである。

いずれにしても、ホラの方法を採用して効果を上げるためには、このような連結ルールや中間品のサイズの問題を、事前にデザイン・ルールとして規定しておかなければならない。言い換えれば、事前にデザイン・ルールを規定し合意することができなければ、ホラの方法を採用することはできないということを意味する。

他方、テンプスの方法では、このようなルールを事前に規定しておく必要はない。部品を組み合わせて積み上げていく途上で、状況に応じて臨機応変に微調整を繰り返してゆけばいいからである。

「準分解可能性（nearly decomposability）」という特質

こうして作られた時計を階層構造の観点から考えてみよう。ホラとテンプスの作り方の違いは一層明らかになるはずだ（図表１‐１、次ページ）。

まずホラの方法で作った時計を階層構造として表現すると、時計という完成品を頂点として、その下位の階層には第１次中間品が10個位置しており、さらにその下位の階層にはそれぞれ10個の第２次中間品が存在し、その中間品の下位に、最終的な部品が存在することになる。

つまり三つの階層で表現でき、各階層の中間品内部は10個の部品で形成されており、それらの部品間には複雑で緊密な相互作用が存在する。他方、中間品同士の間はルール化された弱い相互作用で連結されているはずである。

このように、ホラの場合、相互作用の強い箇所と弱い箇所を明確に区別することができ、部品間の相互作用の強さには「めりはり」が観察される。

他方、テンプスの方法で作った時計を階層構造で表現すると、時計を頂点として、その下位階層には１０００個の部品が並列的な関係で存在することになる。そしてそれら１０００

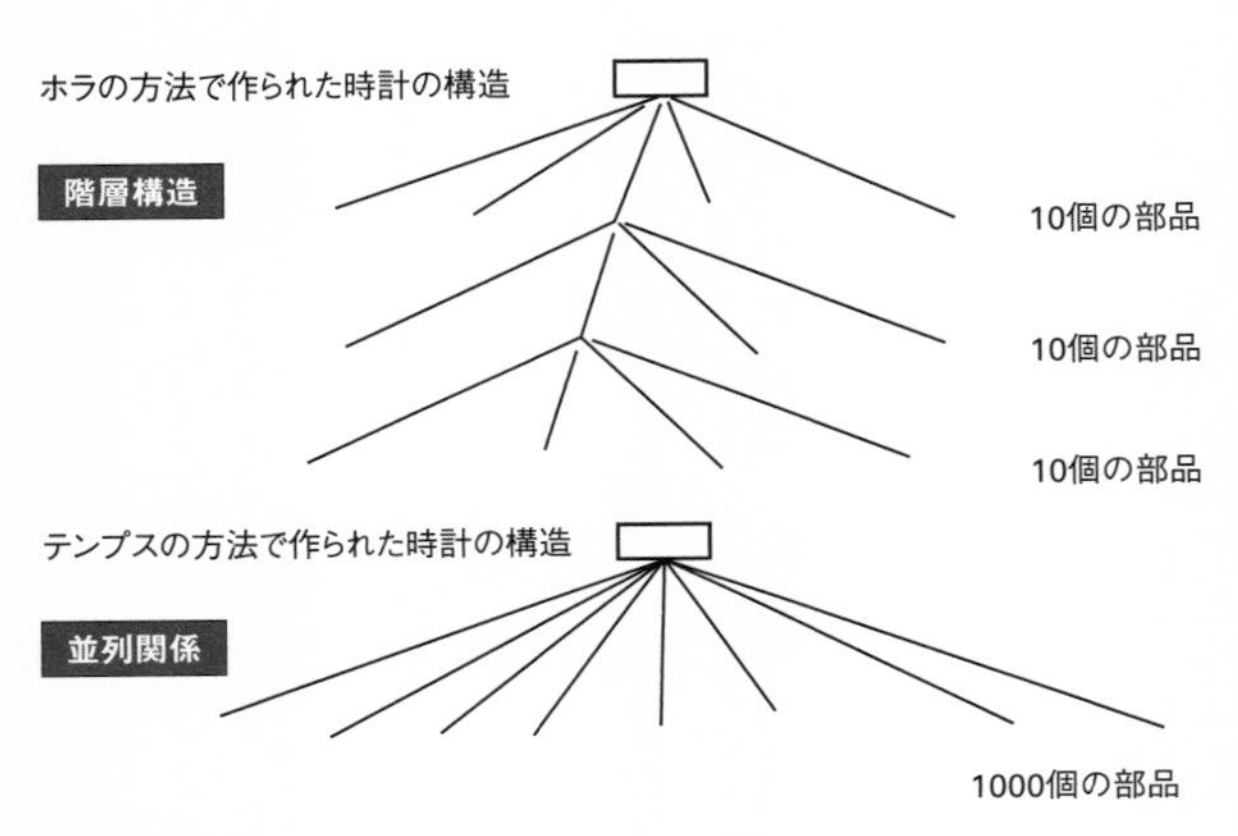

出所：著者作成

図表1-1　ホラとテンプスの方法の違い

個の部品は、緊密で複雑な相互作用で連結されているはずだ。

このようにテンプスの場合、ホラで見られたような相互作用の「めりはり」を観察することはできず、部品全部の間に複雑で不規則な相互作用が張り巡らされている。あくまでも理念型としてだが、階層構造としてホラとテンプスの方法を表現すると、両者にはこのような違いが見られる。

ここでサイモンは、準分解可能性という概念を提示する。構成要素内の結合が構成要素間の結合よりも強く、内部で強く結合した構成要素を他から区別できる性質を準分解可能性と称する。従って準分解可能性を持つシステムは階層構造を自然に形成し、内部で強く結合されている中間形態を生み出すのである。その観点に立つと、ホラの時計の作り方は、準分解可能性という特質を作り出す設計方法であり、他方テンプスの作り方はそうではなかったのである。

今日、ホラの優れた方法がモジュール化と呼ばれていることは既に言及したが、その中核となる特質が準分解可能性である。後述するがモジュール化の威力の多くは、準分解可能性という特質から生み出されており、モジュール化の土台には準分解可能性が存在する。従って身の回りに存在する多くの人工物は、それが製品、組織、ビジネス・システムのいかんを問わず、準分解可能性の観点から見ることができる。そして準分解可能性を持つシステムは優れた能力を持つことがわかる。

例えば、市場競争を展開している企業組織を考えてみよう。激しく変化する市場環境下では迅速な意思決定が必要になるが、そのためには組織の構成要素が高度な自律性を持つことが有効だ。他方で、諸活動を連携して環境変化に臨機応変に対応することもまた同時に必要になるが、そのためには、複数の構成要素を柔軟にコーディネートする必要も出てくる。

つまり組織要素の自律性と同時に、要素間連携を同時達成することが必要になるのだが、そのためには両者のバランスが重要になる。完全に自律してしまえば柔軟な連携は難しくなるし、かといって強固な連携ばかりだと自律性は失われてしまう。

この微妙なバランスを達成するためには、準分解可能性という性質が有効に作用する。組織というシステムの構成要素間に「めりはり」を持った相互作用があってこそ、自律性と連携性の微妙なバランスが作り出されるはずだからである。このように準分解可能性という特質は、企業組織が環境変化の中で生き残るために必要となる能力を生み出す。このことは組織以外の他のシステムでもあてはまる。

1・2 ＩＢＭの先駆的取り組み

コンピューター産業がいち早く実装したアーキテクチャーとモジュール化

そもそも産業界では、アーキテクチャーという言葉はいつ頃から使われるようになったのだろうか。私が知る限り、それはコンピューター産業において、ＩＢＭのコンピューターシステム３６０の設計者によってであろう。１９６４年に発行されたＩＢＭの技術情報誌

IBM Journal of Research and Development において、ジーン・アムダール（Gene Amdahl）らは“Architecture of IBM system/360”という論文を発表し、その中でシステム360のアーキテクチャーを説明している。システム360は、いわゆるメインフレーム・コンピューターの一種であり、当時パソコンはまだ誕生していない。

システム360はモジュール化の原理を初めて採用したコンピューターとして歴史にその名を残すことになったのだが、その論文によって有効性が広く知られるようになった。それまでは、コンピューターを構成するＯＳ（Operating system）、周辺機器、ＣＰＵ、アプリケーションソフトなどをコンピューターごとに独自に開発していた。

だがそのやり方では、新しい技術を導入した新機種に変更する場合、アプリケーションソフトも含めてすべてを変更しなければならなかった。その作業はＩＢＭにとっても顧客にとっても大きな負担であり、リスクも大きかった。これは時計職人の例でいうと、テンプスの方法に相当する。

そこで前世代の機種との互換性を高めるために導入したのがモジュール化の原理である。前の世代で作成したアプリケーションソフトがそのまま使えるようにし、さらにＣＰＵの設計も複数モジュールに分割してモジュールごとに同時並行的に開発できる方法を採用した。

時計職人のホラの考え方を採用したと言えるだろう。その結果コンピューターのシリーズ化が可能になると同時に、コストと納期が大幅に短縮された。システム360は大きな成功を収めたのである。

こうして改めて歴史を振り返ると、1962年にサイモンによって提唱されたアーキテクチャーとモジュール化という概念は、1964年前後、コンピューター産業の巨人IBMによって早くも実装化されたことがわかる。

その後、80年代初頭になると、パソコンの誕生によってコンピューター産業にさらなる地殻変動が生まれた。パソコンの登場を当初は静観していたIBMが、80年代初頭にパソコン産業に参入してきたからである。

地殻変動を生んだものは、その際IBMが採用したオープンなモジュール戦略である。64年にシステム360で採用したモジュール戦略はオープンではなくクローズドだった。つまり、インタフェースがIBM社内でのみ閉じられたクローズドなものであり、公開されたものではなかった。それに対してパソコンへの参入に際して採用したやり方は、パソコンを構成する部品間のインタフェースを公開して基幹部品を外部企業から調達するという方法、つまりオープン戦略だった。

従来ＩＢＭは、すべての技術や部品を自社で開発する自前主義を伝統としていたために、システム３６０の場合、すべてを自社開発したのである。そのようなＩＢＭにとって、オープン戦略はＩＢＭ史上初めての挑戦だった。パソコンのアーキテクチャーがオープンなモジュールに変わったことによって、いわゆる水平分業型と言われる産業構造に変わり、部品ごとに特化した開発メーカー群が生まれ、部品ごとに分業しながら並行して開発する産業構造が生まれたのである。部品ごとに分業して開発できるために、技術と産業の進化スピードも加速された。製品のアーキテクチャー戦略の影響は、個別企業の製品開発活動にとどまらず、広く産業構造や産業の進化経路にまで及ぶのである。

要するに、コンピューター産業において１９６４年に生まれたクローズド・モジュール戦略は、80年代初頭にオープン・モジュール戦略へと進化し、その過程で技術は飛躍的に進化し産業も大きく成長したのである。その変化をもたらした主因の一つは、間違いなく、製品のアーキテクチャーがオープンなモジュール化に変わった点にある。

1・3 アーキテクチャー・イノベーション

企業組織の在り方にまで影響を及ぼすメカニズム

コンピューター産業での貴重な経験を、他産業でも学び活用するためには、背景にある論理とメカニズムを抽出する作業が必要になる。

元来、技術的概念として出発したアーキテクチャーだが、技術の枠を超えて、企業組織の在り方にまで影響を及ぼすメカニズムが明らかになるためには、経済学的・経営学的な観点からの研究を待たなければならなかった。

90年代以降、アーキテクチャーはそれら経済学・経営学領域の研究者の関心を強く引き付け、世界中で活発な研究が展開された。それらの中で、アーキテクチャー概念が技術領域を超えて企業や産業にまでもたらす影響を明らかにした代表的研究に、アーキテクチャー・イノベーションに関する研究がある。

たとえシステムの構成要素が同じであったとしても、アーキテクチャーを変えること、つまり構成要素間の関係性や組み合わせを変えることは、企業や産業にイノベーションと呼びうるほどの大きな影響を与える。

このことをアーキテクチャー・イノベーションという概念によって示したのは、ハーバード・ビジネススクールのレベッカ・ヘンダーソンとキム・クラークらが学術雑誌『アドミニストラティブ・サイエンス・クオータリー』上で90年に発表した論文“Architectural Innovation: The Reconfiguration of Existing product technologies and the failure of Established Firms”においてである。

彼らは製品開発には二種類の知識が必要だと言う。部品、つまり構成要素に関する知識と、それらをどう連結して組み合わせると良いのかという関係性に関する知識である。前者をコンポーネント知識と称し、後者をアーキテクチャー知識と称する。そして構成要素自身を革新することを、モジュール・イノベーションと呼び、既存のアーキテクチャーを組み替えて構成要素間に新たな関係性を作り出すことをアーキテクチャー・イノベーションと称した。

アーキテクチャーを論ずることは産業構造を論ずること

自転車を例にとって具体的に考えてみよう。自転車は、シフトレバー、脱線機構（ディレーラー）、フリーホイール、チェーン、ハブ、ブレーキ、という六つの基本部品から構成される。これらの部品それ自身を革新することがモジュール・イノベーションだ。

それに対して、シマノは1985年に、シフトレバー、脱線機構（ディレーラー）、フリーホイール、チェーンの四つの部品を統合したSIS（シマノインデックスシステム）を市場に導入した。個々の部品自身は変わらないのだが、それらの組み合わせ方を変えて統合したのである。これはまさに部品間に新たな関係性を作り出したアーキテクチャー・イノベーションなのである。そして、SISの導入によってシマノは市場シェアを大きく高めた。

イノベーションという複雑な現象を正確に捉えるために、これまで様々な観点が提起されてきたのだが、ヘンダーソンらは、構成要素それ自身の革新と、構成要素間の関係性の革新という二つの次元を新たに導入した。そして要素間の関係性を変化させるアーキテクチャー・イノベーションが起こると、従来の環境下で高い経営成果を上げてきた企業は、対応に苦慮するということを、半導体の製造に用いる光学式露光装置を例にとって明らかにした。

半導体製造で使う露光装置は、第1世代の密着式露光方式から第2世代の近接露光方式へと技術方式が世代交代した。二つの世代の違いはマスクとウェハーという主要部品間の関係性とまとめ方の違いであり、要素技術にほとんど違いはなかった。にもかかわらず、その世代交代過程で、第1世代の主力メーカーは業界から撤退し、代わってキヤノンなどが主導的地位を獲得したのである。半導体産業で起こったこのような事例を紹介したうえで、それは、半導体産業に限らず広く他の産業でも起こる現象だと言う。同じ構成要素と要素技術を使用しているにもかかわらず、組み合わせ方や連結方法を変えることが、なぜ大きな影響を企業に与えるのだろうか。

それは、世の中に存在しなかった新しい製品が市場に導入されて、次第に受容されてゆくプロセスを考えると理解できる。新製品の草創期とは、どのような技術仕様が市場に受け入れられるのか不透明な時期であろう。従って受け入れられる技術仕様を巡って様々な試行錯誤が展開され、それに伴って次第に知識やノウハウが企業側に蓄積される。そのような試行錯誤に満ちた草創期の段階では、技術仕様や要素間の関係性、つまり製品の階層構造はいまだ安定的なものとしては確立しておらず、流動的である。

そのような流動的な段階を経て次第に知識やノウハウが蓄積されていき、技術仕様と要素部品間の関係性も次第に確実で安定的なものに移行する。つまり、これまで存在しなかった新製品が市場に導入されて普及していく過程をアーキテクチャーの観点から見ると、流動的な状態から安定的なものへ移行して、次第に製品アーキテクチャーが確立していく過程として理解できる。

この段階になると企業は、効率的な製品開発を行うために、企業組織内のコミュニケーション・チャネルを、製品アーキテクチャーに合致したものに作り上げていく。アーキテクチャーという技術特性が、それに適合した組織特性を要求するのである。

例えば要素部品ごとに対応した開発部門を作るのはわかりやすい例だ。さらに、部品間に緊密な相互依存が存在している場合は、対応する部門間で緊密なコミュニケーションが図れるように組織内情報共有の仕組みを作り上げていくはずだ。さもなければ、部品間の緊密な相互依存関係を実現できないからである。こうして、製品アーキテクチャーを反映した組織内コミュニケーションのチャネルが、インフォーマルなものも含めて組織構造の中に埋め込まれてゆく。

ここで重要なポイントは、一度組織の中に埋め込まれて安定的に確立してしまうと、日々の業務においてその部門内外のコミュニケーションの流れを意識することはないという点だ。

そしてその流れが成功すればするほど、従業員が意識することのない暗黙的な日々のルーチンとして、組織内に定着する。こうして部門内外のコミュニケーションの流れは暗黙的な慣行となり、アーキテクチャーに関する知識として、組織の中に蓄積してゆくことになる。

製品のアーキテクチャーがもし変化しないのであれば、確立したコミュニケーションの流れは未来永劫にわたって有効であろう。だが現実にはそのようなことはなく、技術変化に応じてアーキテクチャーも影響を受ける。そして製品特性が変わると、それに合致した組織特性に変える必要があるのだ。だが、旧来のアーキテクチャーで成功した企業は、それに合致した暗黙的で無意識のコミュニケーション・チャネルを前提として活動しているために、新しいアーキテクチャーへの対応に困難をきたしてしまう。こうして既存のアーキテクチャーのもとで成功した企業は、関係性を変えるアーキテクチャー・イノベーションに対応することが難しくなる。

つまり製品アーキテクチャーを変えることは単なる技術的問題にとどまらず、企業組織内のコミュニケーションの流れにまで影響が及ぶということを意味している。アーキテクチャーを論ずることは、技術だけではなくて企業組織ひいては産業構造を論ずることでもある。ヘンダーソンらの研究は、アーキテクチャーとはそのような広がりを持った概念なのだということを明らかにした。

1・4　時代はインテグリティからモジュラリティへ

ハーバード・ビジネスレビューが映し出す研究動向の変遷

90年のヘンダーソンらの研究は、構成要素間の関係性、つまりアーキテクチャーの持つ大きな意味合いに焦点をあてており、モジュール化の概念それ自身を取り扱ったものではない。その意味でアーキテクチャー概念を深掘りし、同時に範囲を拡張した研究だとも言える。

だが90年代後半以降は、ＩＣＴとデジタル化の浸透につれて、モジュール化のインパクトと重要性が一層注目されるようになる。それと歩調を合わせるようにして、アーキテクチャー全般に関する研究からモジュール化に関する研究へ、研究の焦点が次第に移行していく。つまり現実の経済社会においてモジュール化が進展するにつれて、現実社会の課題に応えるような方向に向かって経済・経営学研究も進展した。この研究動向自身は、現実の産業社会を対象にして、企業が抱える経営課題の解決を目指す経営学研究としては、妥当なことだろう。

ハーバード大学が発行するハーバード・ビジネスレビューは、産業界と学術界の双方に対して、世界で大きな影響力を持つ学術雑誌の一つと言って良い。その論文タイトルの変遷を見ると、モジュール化に向かう研究動向をうかがい知ることができる。

一例を挙げるならば、ハーバード・ビジネススクール校長のキム・クラークはハーバード・ビジネスレビューにおいて、１９９０年には、"Power of product integrity（製品統合性の威力）"というタイトルの論文を出したが、１９９７年には"Managing in the age of modularity（モジュール化時代の経営）"という論文を発表するに至った。

つまり１９９０年には製品Integrity（統合性）の重要性を主張していたが、97年にはModularity（モジュール化）の時代が到来したと、その主張を大きくシフトさせたのだ。統合性からモジュール化へという論点のシフトは、当時、世界の産業界でモジュール化が大きな経営課題として台頭していったことを表している。要するに90年代、世界の潮流はモジュール化に向かったのである。

だが、残念ながら日本はこの世界の潮流と離れてしまい、現実の産業界でも学術研究でもモジュール戦略に関する研究と実装は、つい最近まで、低調なままだった。ここでつい最近という言葉を使うのは、序章で言及したように、近年、日本を代表するいくつかの多国籍企業がモジュール化の実装へ大きく舵を切っているからである。

そもそも「モジュール化」とは

これまで明確に定義せずに使ってきたが、ここで改めて、モジュール化の定義を確認しておこう。ハーバード・ビジネススクール教授のカーリス・ボールドウィンらは、2000年に出版された著書『デザイン・ルール：モジュール化パワー』の中でモジュール化を次のように言う。

「モジュールとは、その内部では構造的要素が強く結びつき、他のユニットの要素とは比較的弱く結びついている、ひとつの単位である。その結びつきには明らかに程度の差があり、したがって、モジュール化には濃淡がある」

そしてこの定義の前文で、モジュール化とは、複雑なシステムを取り扱う多くの分野で、有益と認められている概念であると述べ、その範囲は脳科学、心理学、ロボット工学、人工知能まで広範にわたることを紹介している。

要するに、多くの要素から構成される複雑なシステムを設計するに際して、内部で構成要素が強く結びつくユニットごとに分割し、それと同時に、ユニット間同士は弱く結びつくようにシステムを設計するということである。そうなるようにシステムを分けて、インタフェースでつなぐことを考えるのである。そのような分け方とつなぎ方に関するルールを「デザイン・ルール」と称するが、そのルールは、外部から認識できるように明示的になっている必要がある。

重要なことは、前述の定義が示唆しているように、複雑なシステムをモジュール化すると言っても、分け方とつなぎ方には理論的に多くのやり方があり得るために、デザイン・ルールの策定には多くの選択肢が存在するということだ。ボールドウィンらの言葉を借りるならば、モジュール化には濃淡があるのだ。理論的に多くの選択肢がある中で、現実には一つのデザイン・ルールを選択しなければならない。これこそがモジュール戦略の肝であり、モジュール戦略の難しさはここにある。

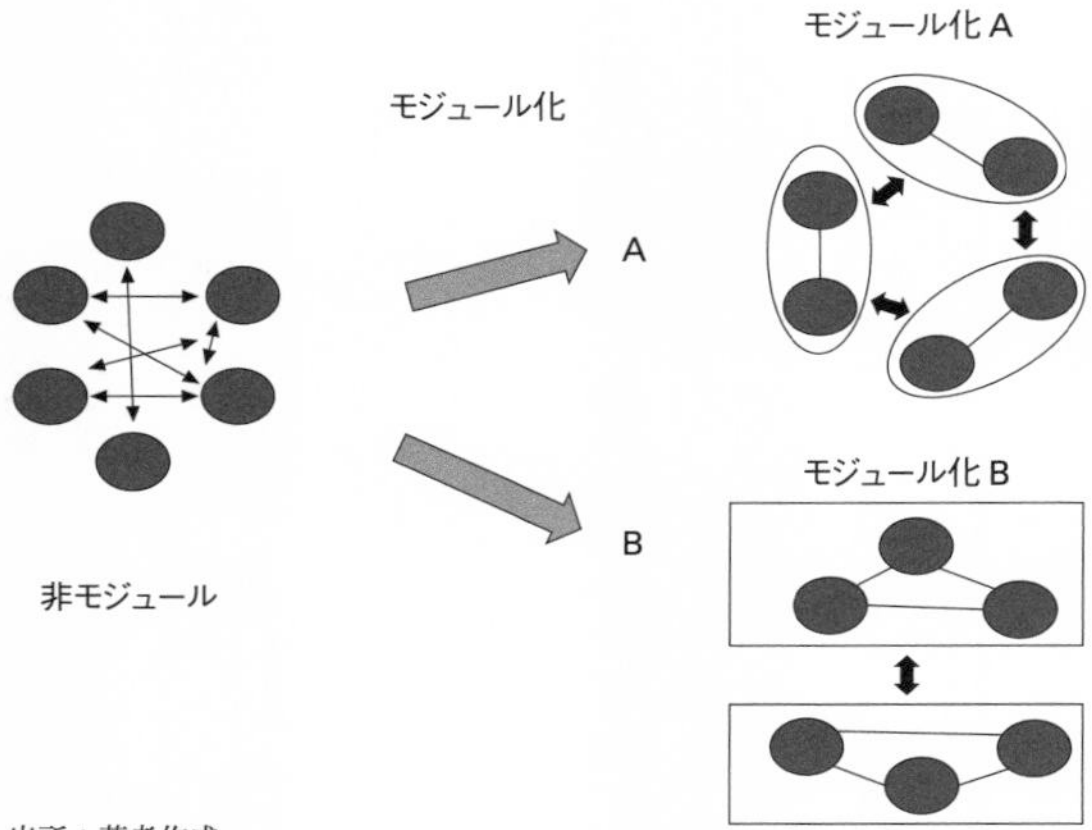

出所：著者作成

図表1-2　モジュール化とデザイン・ルール

簡単な例を挙げて説明しよう。図表1－2を参照していただきたい。左側には、六つの要素から構成されて要素間に複雑な相互依存関係が存在するシステムが存在する。それをモジュール化するとどうなるだろうか。

図表の右側には、モジュール化の二つの例を示している。モジュール化したという意味では、モジュール化Aもモジュール化Bも同じだが、分け方とつなぎ方、つまりデザイン・ルールがそれぞれ違う。モジュール化Aは三つのモジュールに分割しており、モジュール化Bは二つのモジュールに分割している。

つまりモジュール化Aとモジュール化Bは、デザイン・ルールが違うためにアーキテクチャーが違うのである。このようにモジュール化すると言っても現実には多くの選択肢が存在するのであり、どれが良いのかはモジュール化の目的による。

モジュール化はさらに、オープン型とクローズド型に類型化できる。モジュール化のデザイン・ルールをどの程度公開するのかという公開性の範囲を示す次元として、クローズドかオープンかという次元が考えられるからだ。

クローズド・モジュールとは、デザイン・ルールが自社内で閉じられている状態であり、他方オープン・モジュールとは業界全体に広くデザイン・ルールが公開されている状態である。業界全体で、標準化されていると言っても良いだろう。

オープンかクローズドかは、分業できる範囲を示す一つの指標となる。オープンの場合、デザイン・ルールが公開され共有されているために、一企業の枠を超えた広い社会的分業が可能になる。他方で、クローズドの場合、個別企業内、あるいはグループ企業内での分業にとどまることになる。パソコンのアーキテクチャーは、オープンでかつモジュール化されていたために、広い社会的分業が可能になり、技術と産業の進化が加速されたのである。

戦略的柔軟性と埋め込まれた進化能力

ボールドウィンらは、モジュール化の概念の有効性は、経済・経営以外の多くの分野でも認められていることを、著書『デザイン・ルール』の中で指摘した。では、モジュール化のメリットとは何だろうか。ここでモジュール化の威力を整理しておこう。一言で言うならば、良いモジュール化は、優れた二つの特性、すなわち戦略的柔軟性と進化能力を備えている。

ここであえて「良い」という表現をした意味は、どう分けてどうつなぐのかを決めるデザイン・ルールには良し悪しがあり、良いデザイン・ルールを策定することがモジュール化のメリットを享受するために何よりも必要な条件になるからである。

第一の戦略的柔軟性とは、モジュール化は組み合わせにより多様な選択肢を提供できるために、環境変化に柔軟に対応できる能力を持つことを言う。変化が一層激しくなる現代社会では、戦略的柔軟性は極めて重要な能力になる。

例えば、モジュールの多様な組み合わせの妙味によって、低コストで顧客の多様な要望に応えることができる。モジュール化は、ルールさえ順守すれば、そのモジュール内部の実現方法は問わない。そのため、多様な中身のモジュールを適切に組み合わせて新しい製品を作り上げることができる。つまり個別のモジュールを量産し、その組み合わせの妙味で差別化を実現できれば、個別モジュールの量産による規模の経済効果を働かせながら、多様な顧客ニーズに応えることできる。多種多様なニーズに低コストで対応できる道が開けることを意味する。これが、いわゆるマス・カスタマイゼーション戦略と呼ばれている戦略である。

さらに不具合が発生した場合、必要な修正を当該モジュールだけに局所化できるために、保守サービスにも柔軟性が生まれる。例えばあるモジュールに不具合が発生した場合、当該モジュールを交換するだけで済み、他のモジュールへの影響を考える必要がない。

また、当該モジュールが製品全体のボトルネックである場合、そのモジュールをアップグレードするだけで製品全体の性能を向上することができる。パソコンの処理速度が遅い場合、ＭＰＵ（Micro processing unit, 小型演算処理装置）を交換するだけで、他の部品への影響を気にせずにパソコン全体の速度を向上させることができるのは、パソコンがモジュール化されているからである。これらのメリットを総称して戦略的柔軟性と言う。

そして第二のメリットは、モジュール化には進化する能力が埋め込まれているという点だ。適切にモジュール化されていれば、モジュールごとの独立で並行した製品開発が可能になり、その結果、製品全体の技術革新が加速される。モジュール化されていれば、決められたルールさえ守っていれば他のモジュールへの影響に注意を払う必要はない。他のモジュールとの調整に時間や労力を割く必要はなく、当該モジュールの開発に専念することができるのである。

例えばパソコンを構成する主要部品には、ＭＰＵやＨＤＤ（ハードディスクドライブ）などがあるが、これらのメーカーは、同時にしかも独立して自社部品の開発に専念できる。このように主要部品ごとの独立した並行開発が可能になることが、パソコン産業の急速な進化をもたらしたのだ。

つまり、ボールドウィンらが著書『デザイン・ルール』で明らかにしたように、モジュール化には進化能力が埋め込まれているのである。特定の一時点だけを見ていては埋め込まれた進化能力の影響は見えにくいかもしれない。だが中長期的に定点観測すると、進化するシステムとそうでないシステムは大きな違いを生むことがわかる。

戦略的柔軟性と進化する能力、これら二つの大きなメリットを実際に享受するためには、あくまでも良いデザイン・ルールを策定することが必要だ、という点を改めて強調しておきたい。

第２章

なぜ日本でモジュール戦略は誤解されてきたのか

繰り返しになるが、アーキテクチャー戦略、とりわけコアになるモジュール戦略は長年にわたる日本の弱点である。モジュール戦略に関する研究蓄積は乏しいし、企業でのモジュール化の実装も遅れている。ようやく最近になって、日本を代表する幾つかの先進的企業がモジュール化の原理を採用し出したことは、既に説明した通りだ。

だが世界の状況はまったく違う。モジュール化の概念の有効性は、既に述べたように、脳科学、ロボット工学や人工知能など自然科学・工学の領域で広く認められている。また経営学領域においても、その有効性は世界で広く認知され共有されている。世界の潮流は、モジュール戦略の有効性を前提にしたうえで、いかにしたら効果的に実装できるのか、実装のための課題をどうして克服するのかという方向に議論は進展しているのだ。

だが日本では残念ながらモジュール戦略の評判が良くないために、とてもそこまで議論が到達していないのが現状だ。他方で、ＩｏＴによる他との連結性が一層重要な時代を迎え、モジュール化の原理の重要性は一層高まっている。

さらに忘れてはならない観点は、後ほど詳述するように、多くの産業で加速するデジタル化の進展が、ソフトウェアの重要性を高めているという点だ。デジタル化はソフトウェアの比重を高めるという因果関係が存在するのである。とするならば、モジュール化は一層重要な課題になる。良いソフトウェアであるための必要条件は、それが少なくともモジュール化されていることだ。モジュール化されていないソフトウェアは、要素間の複雑な相互依存関係が残ってロジックが入り組んでしまい、解読困難なものに陥る。それは悪いソフトウェアの代名詞として「スパゲッティプログラム」と呼ばれてきた。

以上のような産業動向を考慮するならば、日本でモジュール戦略の評判が悪いのは、今後の日本の産業発展にとって致命傷になりかねない。そのような背景のもとで本章は、なぜ日本ではモジュール化の評判が悪いのか、そしてなぜモジュール化は誤解されてしまったのかを明らかにしよう。

２・１　日本で繰り返される不毛な議論

「すり合わせ型」か「モジュール型」か

日本でこれまで繰り返されてきた典型的な議論は次のようなものである。製品アーキテクチャー、つまり製品設計の考え方には、「すり合わせ」と「モジュール化」の二種類が存在する、というところから日本での議論は始まる。

そしてここで言う「すり合わせ」とは、モジュール戦略のようにデザイン・ルールを事前に決めないで設計することを言う。デザイン・ルールを決めないので、良く言えば、いかようにでも柔軟にきめ細かな点まで作り込める。企業は製品開発に際して、どちらの方向でいくのかを選択しなければならない。日本企業はきめの細やかな対応が得意なので、デザイン・ルールを事前に決めないすり合わせ設計を採用した方が良いのではないか。

以上がこれまで日本で繰り返されてきた典型的な議論であり、こうしてモジュール戦略は誤解されてきた。

だが前述の議論は以下の二つの点で、間違った前提に立っている。まず第一に、根本的な問題として、そもそも、「すり合わせ」というアーキテクチャーは存在しない。存在するのは、モジュールか、非モジュールかのどちらかである。アーキテクチャーの中で一定の優れた特性を持つものがモジュール・アーキテクチャーだが、もちろんそのような特性を持たないアーキテクチャーも存在する。一定の優れた特性とは、内部では強く結びつき、外部とは緩やかに一定のルールに従って結びついているというシステム全体の分け方を言う。そうでない分け方は、非モジュールなアーキテクチャーであり、すり合わせという別種類に類型化されるアーキテクチャー類型が存在するわけではないのだ。

実際、アーキテクチャー研究の金字塔とも言うべき『デザイン・ルール』においても、そこで言及されているのはモジュール・アーキテクチャーのみであり、別のアーキテクチャーの存在は考えられていない。「すり合わせ」アーキテクチャーとして類型化されるアーキテクチャーは存在しないのである。にもかかわらず、日本ではなぜそのような奇妙な事態が生じたのか。これにはおそらく、学術界におけるモジュール化の定義を巡る複雑な展開が関係していると思われる。その概略をざっくりと紹介すると次のようになる。

すり合わせ型は、英語のインテグラル・アーキテクチャーの日本語訳に相当する。この概念が初めて登場したのは、私が知る限り、１９９５年にカール・ウルリッヒ（Karl Ulrich）によって学術雑誌『リサーチ・ポリシー』に発表された論文“The Role of Product Architecture in the Manufacturing Film”においてである。

この論文でウルリッヒは、機能要素と構造要素の関係性の観点からアーキテクチャーを定義し、この定義に基づいて、モジュール・アーキテクチャーとインテグラル・アーキテクチャーの二種類に類型化されることを主張した。機能要素と構造要素という二つの観点に立脚したことがユニークな観点だった。

だが、この定義は2000年に出版された『デザイン・ルール』によって採用されることはなく、むしろ否定されたと言って良いだろう。その理由を一言で言うならば、機能要素の観点を採用する定義はその有効性の観点から妥当ではないという見解であった。果たしてどの定義が妥当なのかは、有効性の観点から評価されなければならないのである。こうしてカール・ウルリッヒの先駆的な貢献は高く評価されつつも、その旧い定義は新しい定義に代替されることになった。

それに代わり『デザイン・ルール』が新しく提示した定義が、既に紹介したように、内部で密接に結びつき外部とは緩く結びついているという構造要素の観点にだけ着眼した定義なのである。新しい定義では機能要素の観点は採用されなかったのである。この定義は心理学や人工知能等の他分野でも採用しているものと、ほぼ同じものだ。つまり、より広い学術分野で採用されている定義を、経営学においても改めて採用することになったと理解できる。

そしてこの新たな定義に立つと、インテグラル・アーキテクチャーというカテゴリーは存在しない。つまり「すり合わせ」アーキテクチャーは存在しないのである。あるのは、モジュールか非モジュールかという類型化だけである。

このように研究の進展過程で二種類の定義が存在し、論争が展開されること自体は珍しいことではなく、むしろ議論の精緻化という点からは歓迎されるべきことだろう。

だが残念なことに日本では不幸なことが起こった。人口に膾炙（かいしゃ）した「すり合わせ」という日本語とインテグラルという言葉が強く結びついた結果、インテグラル・アーキテクチャーというカテゴリーは存在しないにもかかわらず、新しい定義に置き換わることなく、すり合わせアーキテクチャーの名前として残った。すり合わせアーキテクチャーという概念は存在しないにもかかわらず、モジュール化と対比される概念として、日本の産業界に広く浸透することになったのである。

その結果、前記のような典型的な議論が日本で展開されるようになった。おそらく、すり合わせに相当する母国語を持たない諸外国では、このようなことは起こらなかったのではないだろうか。実際、世界でモジュール戦略に関する研究は精力的に行われ、多くの論文が現在でも発表されているにもかかわらず、インテグラル・アーキテクチャーをテーマにした論文は、現在、私が知る限り発表されていない。これは、インテグラル・アーキテクチャーを世界の学術界が認めていないことの何よりの傍証のように思える。

すり合わせ型という亡霊

こうしてアーキテクチャーを、モジュール型とインテグラル（すり合わせ）型という並列的な二つに類型化して認識したことが、次の間違った第二の前提をもたらした。

それは、インテグラル型とモジュール型のどちらを選択するのかという静態的で二項対立の前提で、アーキテクチャー戦略を捉えてしまったという点である。だが、この前提は正しくない。

その後の経営学研究が明らかにしたように、一体何が合理的なアーキテクチャーなのかは、状況に応じて変わるからだ。とりわけ、時間経過という動態的な観点が重要になるのである。常にインテグラルが良いわけでもないし、常にモジュールが良いわけでもない。にもかかわらず、二つに類型化してしまったために、あれかこれかという静態的で二項対立的な問題として捉えられてしまった。時間経過によって変わるという動態的な観点はすっぽりと抜け落ちてしまったのである。アーキテクチャーとは静態的なものではなくて、外部の環境変化、とりわけ製品ライフサイクルの進展によって、動態的に変動するものである。

では、どのように変動するだろうか。これまで世の中に存在しなかった製品が初めて誕生したライフサイクルの初期を考えてみよう。このような初期には、技術の挙動はまだ完全に明らかにはなっていないために、良いデザイン・ルールを作ることは技術的にハードルが高い。よってデザイン・ルールを決めない設計思想、つまりすり合わせ設計を選択することは妥当だろう。本章で提起した定義に従えば、非モジュールなアーキテクチャーということになる。

だが、次第に産業が成長してゆくと、試行錯誤による知識が次第に集積していき技術の挙動が次第に明らかになってくる。そうなると、どう分けてどうつなぐといいのかという知見が確かなものになり、良いデザイン・ルールを作るための道筋が見えてくる。こうして産業が成熟段階に近づくにつれて、モジュール戦略の合理性が次第に高まり、デザイン・ルールを決めてもきめの細やかな顧客要望への対応が可能になるのである。

このように、ライフサイクルが進展して産業が次第に成熟化してゆくと、非モジュールからモジュールへと合理的なアーキテクチャーはシフトする。にもかかわらず、アーキテクチャーを動態的観点から捉えるという視点が抜けてしまい、日本では前記のような、静態的で二律背反的な議論にのみ終始してしまった。

前記のような建て付けの議論が日本では何度となく行われ、日本企業はモジュール型ではなくて、すり合わせ型でゆくべきだという認識が広く共有されることになった。アーキテクチャーを考える際に、すり合わせ型という亡霊と対比してしまうという思考枠組みに日本は囚われてしまい、このマインドからの脱却はなかなか難しかったのである。

日本でのモジュール戦略の評判は、こうした誤解に基づいたまま悪化してゆくことになる。その根本には、モジュール型をすり合わせ型と対比させて思考するという初期に共有された認識枠組みがあったと言わざるを得ない。

組織能力としてのすり合わせ能力との違い

ここで、同じ日本語が使われているために誤解されやすい点について、補足的な説明を加えておきたい。それは、製品アーキテクチャーとしてのすり合わせ型と、組織能力としてのすり合わせ能力とは違うということだ。本書が指摘しているのは、すり合わせ型という設計思想は存在しないという点であって、組織能力としてのすり合わせ能力を否定しているわけではまったくない。それどころか、日本企業の組織能力としてすり合わせ能力は、高く評価されるべきものだ。ここでは組織能力としてのすり合わせを取り上げる。

そもそも、すり合わせとは一体どのような意味なのだろうか。

ちなみに手元の辞書をひくと、次の二つの意味が紹介されている。一つは、「高精度な平面を作るための手仕上げ作業のことで、表面を摺合わせ定盤で摺り合わせ、きさげで削って仕上げることを指すもの」という意味である。これは部品間の微細な調整と言い換えることができるだろう。もう一つは、「それぞれの意見や案を出し合い調整していくこと」という意味である。我々がよく「関係者と良くすり合わせたうえで決めます」と言う時、この意味で使っている。すり合わせという言葉には、単なる調整よりも、相手の立場や事情を察しながらより微細な点まで考慮する、というニュアンスがあるだろう。強いて言えば、言葉で表現できる以上のところの細かいところにまで配慮するというようなイメージだ。「以心伝心」や「あうんの呼吸」といった言葉にも通じるのが、すり合わせである。

すり合わせは二つの要因に分解できるであろう。一つは連携である。部品間の連携であったり人の連携であったり、あるいは部門間の連携であったりする。いずれにしてもすり合わせは、それ自体ではなくて関係性を表している。もう一つは、きめの細やかさということだ。

無謀を承知であえて定義すれば、すり合わせとは、「きめの細やかな連携」とでも表現できるかもしれない。つまり日本人は、きめの細やかな連携に秀でていると、自分たちのことを評価しているのである。すり合わせがうまく作用すると、その内部では強烈な一致団結が生まれるだろう。チームや集団の力と言われるものがそれだ。日本が調和や秩序などを重視するのも、このすり合わせ能力と関係があるように思う。

すり合わせ能力は、日本のものづくりの現場で、部品間の調整と部門間の調整という二つの場面で発揮されてきた。例えば自動車産業の現場においては、部品間の調整とは、エンジン、サスペンション、ボディなど部品間の調整を意味し、部門間の調整とは、設計、生産、購買、マーケティングなど、機能部門間のオーバーラップや緊密な情報交換を意味する。実際には部品間の調整と部門間の調整は相互に関係があるのだが、概念的には分けて考えることができる。

エンジン自動車は3万点以上の部品から構成され、これらの部品間に複雑な相互依存関係が形成されている複雑な製品である。そのため開発組織も膨大であり、多い場合には1500人以上の社内技術者、及び100社から700社程度の外部の部品企業が製品開発に参加することになる。優れた自動車を開発するには部品間の緊密な調整が必要になるのである。エンジンの重心を車軸から少しずらすだけで操縦性が影響を受けるし、部品の選択一つとっても、部門ごとに重視するポイントが異なるために部門間の対立が生じる。それが自動車という製品の特徴である。

ノイズを低下させることは重要な技術課題の一つだが、そのためには特定の一つの部品のみを改良すればそれで済むというわけではない。ノイズを低下させるためには、エンジン、排気系、タイヤ、ボディなど多くの部品間の調整と様々な分野の技術者の参加が必要になる。関連部品を担当する技術者が、ノイズを低下させるという共通目的のもとで一致団結し、担当部品を超えて情報を丁寧に共有し合うことが必要になる。日本企業のすり合わせ能力は、このような作業で大いに発揮されてきたのである。しかも、日本企業のすり合わせ能力は他国が模倣することが難しい能力でもある。そのことを明らかにした実証研究も存在する。

要するに、日本企業の組織能力としてのすり合わせ能力は、他国はなかなか模倣できない貴重な能力なのである。だが、それは、設計思想のすり合わせ型とはまったく別物である。

2・2 シャープの失敗の本質

モジュール化が本当に電機産業の低迷をもたらしたのか

モジュール戦略の評判悪化にさらに拍車をかけたものは、かつて強かった日本の電機産業の凋落(ちょうらく)である。液晶テレビなどデジタル家電産業ではモジュール化が進んだが、それらの産業で日本企業が凋落したために、モジュール化が悪者にされてしまった。

良く引き合いに出されるわかりやすい例は、シャープの液晶テレビだろう。シャープは液晶テレビを世界に先駆けて開発し2000年代前半には高い市場シェアを獲得し、2008年3月期には過去最高の純利益を上げた。その中心になったのは、三重県の亀山工場であり、そこで生まれるテレビは亀山モデルとまで言われるほどのブランド力を持った。しかしその後急速に、サムスン電子等韓国企業の追い上げによって競争力を低下させ、現在は台湾の鴻(ホン)海(ファイ)精密工業の傘下にある。

しかしシャープの液晶テレビが衰退した原因は、本当にモジュール化が進展したことにあるのだろうか。それは相関関係を因果関係と誤解してしまった議論のように思える。シャープの衰退と液晶テレビのモジュール化の間には、確かに相関関係はあるだろう。だがそれは、液晶テレビのモジュール化がシャープの衰退を引き起こしたという因果関係ではない。本当の原因はモジュール化ではなくて、モジュール化が進展するにつれて、従来の成功した戦略とビジネスモデルをシャープが転換できなかったことにある。

すべてのテレビをブラウン管から液晶に変えるというビジョンをシャープが打ち出したのは、90年代後半であった。この時点から２０００年代初頭にかけて液晶テレビ産業は急速に立ち上がっていく。このような産業の初期から成長期にかけて、十分な技術的知識が蓄積されておらずルール化が難しかったために、非モジュールの製品アーキテクチャーが合理的だったのである。

その場合、垂直統合的なビジネスモデルが妥当だ。ルール化できない暗黙的知識や技術を、垂直統合的な仕組みの中で処理できるからである。実際シャープは、三重県の亀山工場で垂直統合的な仕組みを構築した。そして既に述べたように、２００8年3月期には過去最高の純利益を上げた。

しかしかつて有効だった仕組みも、産業の成長と成熟化に伴ってルール化が可能になり、製品のモジュール化が進むことで次第に合理性を失ってゆく。その時点でこれまでうまく稼働していた戦略であったとしても、それをあえて転換する必要があった。しかしシャープはそうはせずに、むしろ現在の仕組みを一層強化させたのである。

２００７年に発表されたシャープの堺工場は、亀山工場の垂直統合度をさらに進化させ一層強化したものであった。電気やガスなどのインフラ企業や部材メーカーなど15社を一か所に集結させ、あたかも一つの工場のように運営することを目指したのである。シャープは当初成功した戦略を転換せずに、むしろ従来路線を強化した。

他方で、液晶テレビのモジュール化の進展によって産業進化が加速され、技術的に成熟化した製品が低コストでできるようになり、その特性をうまく活用したサムスン電子等の韓国企業は大きく飛躍した。モジュール化の持つ大きなメリットの一つは、繰り返しになるが進化する能力が埋め込まれているという点である。モジュールごとの独立した並行開発が、技術進化を加速して、産業の進化を促すからである。

その意味では、そもそもモジュール化とは、途上国を含めた世界全体の観点に立てば、人類に対して大きな恩恵をもたらすもの、と言っても過言ではない。だが先行して開発した企業から見れば、競争が激しい市場環境が生まれるために、好ましくない状況ということになるかもしれない。

その中で生き残るためには従来の戦略を捨て去り、モジュール化に合致した戦略に転換しなければならない。シャープの液晶テレビ事業が衰退した本当の原因は、それができなかったことにあるのであって、モジュール化にあるのではない。産業と技術が成熟化して競争環境が大きく変わったにもかかわらず、従前と同じことを、これが自分たちのやり方だと安直に思い込み、一層強化してやり続けたのである。にもかかわらず、モジュール化が元凶であるかのごとく悪者に仕立て上げられてしまった。

ではなぜシャープはこれまでの戦略を転換できなかったのだろうか？　失敗の本質はおそらく組織の持つ慣性の力にあったに違いない。これまで威力を発揮した仕組みこそが自社の強みであるという認識が社内に共有され、一層強固なものになって組織の中に浸透していったのではないか。組織は一度成功した仕組みを一層強化させる方向に様々な意思決定を進めてしまう自然な傾向を持つ。成功体験が作り出すそのような組織の慣性から逃れようとすると、組織内に強く反対する人々が生まれる。

組織の持つ特性を考えるならば、これ自体は特に不思議なことではないが、組織内に同調圧力が強く働く日本企業は、その傾向を特に強く持つように思える。シャープもまた、そこから逃れることはできなかったと言うべきだろう。失敗の本質はそこにあるのであって、決して液晶テレビのモジュール化がシャープの衰退を引き起こしたわけではない。

2・3 「支配的な思考枠組み」からの脱却へ

現場力への過剰依存からアーキテクチャー重視へ

ＩｏＴによりサイバーフィジカルの融合を目指す時代、ソフトウェアは一層大きな役割を果たすようになり、アーキテクチャーの考え方はますます必要になる。その時代潮流の中でモジュール化をどのように位置づけて捉えればいいのだろうか。

すり合わせ型と対比させてモジュール化を考えてしまうという従来の思考枠組みから脱却して、モジュール化を正しく理解して位置づけることだ。様々なアーキテクチャーがありうる中で、モジュール・アーキテクチャーは戦略的柔軟性と進化能力という優れた性質を持つ。そうでないものは非モジュール、つまりそれらの特質を持たない普通のアーキテクチャーだ

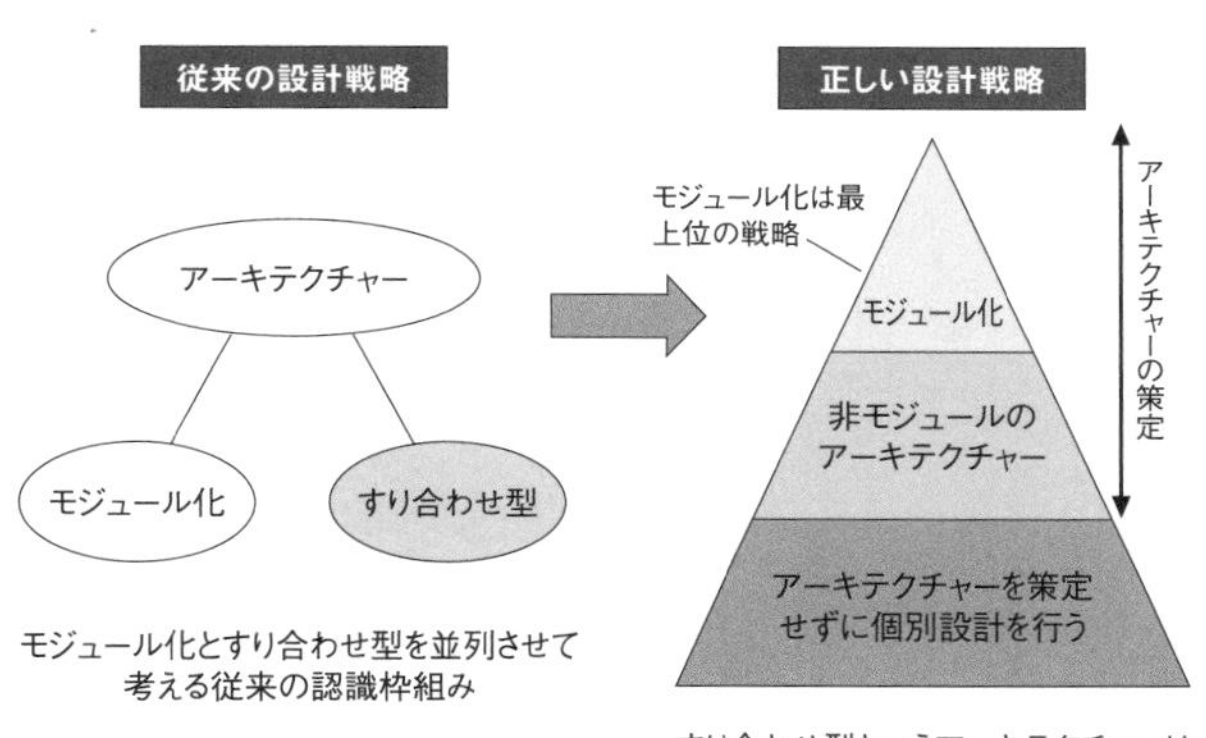

出所：著者作成

図表２-１　すり合わせ型という亡霊からの脱却

という理解が必要になる。

図表２‐１を参照していただきたい。左側は従来日本企業に染みついた設計戦略の考え方である。アーキテクチャーにはモジュール化とすり合わせ型の二種類が存在しており、それらを並列的関係として捉えている。つまり、あれかこれかという二項対立問題として設計戦略を捉えてしまった。この支配的な思考枠組みの中には、まだすり合わせ型という亡霊が大手を振っている。

だが実のところ、既に説明したようにこの亡霊は存在しない。にもかかわらず、この思考枠組みに依拠したことによって、日本はすり合わせ型という亡霊に囚われてしまい、合理性の低い設計戦略が導かれてしまった。

ここで、一つの疑問が生じるかもしれない。それは、もしそれが合理性の低い設計戦略であるならば、にもかかわらず、なぜ日本の製造業はこれまで高い国際競争力を維持できたのか、というものだ。

この疑問に対する一つの有力な答えは、日本企業には優れた現場力があったからだというものだろう。現場の優れた技能や高度な責任感などの現場力が、合理性の低い設計戦略を補って余りある成果を生み出したのではないかという解釈だ。多くの日本企業トップが、現場力を高く評価していることからもそのことはうかがえる。しかし今日、グローバル化の進展がもたらした複雑性の壁に直面して、現場力へのこれ以上の依存はもはや限界にきていると言うべきだろう。従って、従来の支配的な思考枠組みからの脱却が必要だ。

右側は、モジュール化を正しく位置づけたものだが、そこにはすり合わせ型という亡霊は存在しない。設計の考え方は、三階層で整理できる。アーキテクチャーを事前に策定しない個別設計、非モジュールのアーキテクチャー、そして最上位のモジュール化という三階層になっており、上位にいくほど設計合理性が高まる。つまり、上位にいくほど設計上、様々なメリットが存在する。例えば最上位のモジュール化の場合、戦略的柔軟性と進化能力という二つの大きなメリットが存在するというのは既に述べた通りである。

この三階層モデルで、あえて、すり合わせ型に相当するものを見出そうとするならば、三段階のうちの一番下に存在する階層、つまりアーキテクチャーを策定しない個別設計がそれに近いだろう。

この場合、設計効率が低いために、成果を出そうとすれば、現場の力に依存せざるを得ない。優れた現場力を持つ企業であれば、当初は、個別最適の設計をすることで価値を生み出すことも可能だろう。しかしいずれ増大する複雑性の壁にぶち当たることになる。

序章で紹介したように、トヨタは当初このやり方を採用していたが、限界に直面し、アーキテクチャーを重視するやり方に転換しようとしている。この三段階モデルに照らすと、より上位階層に進出して設計合理性を高める方向へ製品戦略を進化させようとしているのだ。後ほど詳しく述べるように、空調機最大手のダイキン工業も同様の軌跡を辿った。ダイキンは設計にモジュール化の原理を採用することで、現場への過剰依存が技術者にもたらした閉塞感からの脱却を図ったのである。

言うまでもないことだが、日本のすべての現場が高い能力を備えているわけではない。とはいえ、ざっくりと言うならば、諸外国と比べて日本の現場力は総じて高いことは広く共有されていることだろう。現場に蓄積された技術とノウハウ、そして強い使命感と責任感が日本企業を支えてきた側面は大きい。予期せぬ様々な難題が降りかかってきても、現場の担当者がそれを引き受けなんとか解決してきたという多くの成功体験を持つ。それがさらなる現場への依存をもたらしたのではないか。

しかし今後一層高まる複雑性の壁を超えるためには、現場力への依存だけではもはや限界に近づきつつある。トヨタやダイキンの例はそのことを如実に物語っているように思える。従って、現場力への過剰依存を生み出す従来の思考枠組みから脱却し、アーキテクチャー重視へ切り替えることが必要になる。

第3章

車の脱炭素競争とアーキテクチャー戦略

脱炭素に向けた世界的潮流が加速する中で、日本政府は、2030年代半ばには新車販売をすべて電動車にする方針を打ち出した。日本政府が言う電動車には、いわゆる電気自動車（EV）、燃料電池自動車（FCV）そしてハイブリッド（HV）が含まれている点に注意が必要だ。

さらに日本政府は、2050年までにカーボンニュートラルを実現することを2020年に国際公約として掲げた。それを契機として、これまで腰がひけていたように見える日本の自動車産業も、脱炭素に向けて大きく舵を切った。

本章では、脱炭素に向かう自動車産業という現在進行形の事象を取り上げて、アーキテクチャー戦略から一体何が見えてくるのかを考えてみたい。

３・１　誰がＥＶ開発の主導権を握るのか

モジュール化に向かうEV

現在、脱炭素に向けた先頭ランナーは電気自動車、いわゆるＥＶだが、実はＥＶは過去２回ブームを経験してきた。

第１回目は１９７０年代で、オイルショック、光化学スモッグ、大気汚染などで、ガソリン車から電気自動車へのブームがあった。そして１９９０年代に2回目のブームがあったが、それは１９９２年の米国カリフォルニア州におけるゼロエミッションの義務づけをきっかけとした。それは年間販売台数が3万5千台以上の自動車メーカーはその10パーセントを、ゼロエミッションにしなければならないという法律であった。その法案がきっかけとなり、ＥＶの開発を自動車メーカーは推し進めた。

しかしいずれも、バッテリーの容量不足が大きな原因となって航続距離や重量が実用に耐えず、結局のところ一過性のブームで終わった。

だが今回はこれまでとは少し様子が違う。脱炭素に向けた世界の潮流は、もはや止めることはできない大きな流れになっているし、リチウムイオン電池の技術革新が大きく進展したことで、ボトルネックだったバッテリー容量が実用に耐える水準まで大きく改善されたからだ。それは技術体系がエンジンからモーターとバッテリーへ大きく転換することを意味する。

ＥＶが今後どの程度普及するかは、もちろん複数の要因の影響を受ける。中でも以下の二つの要因が重要であろう。

第一に、ガソリン車が提供してきた性能、機能、価格などの要求水準を、ＥＶがどの程度充足できるのかという技術革新の影響だ。そして第二に、充電ステーションの整備状況にも大きく依存する。ＥＶを動かすためには、車載バッテリーに充電するための充電ステーションが不可欠だからである。

これらの要因は政府による政策支援の動向や技術革新の進展度合いなどの影響を大きく受ける。そして言うまでもないことだが、未来を読みきることは極めて困難である。とは言え、まったく何もできないというわけでもない。アーキテクチャーの観点に立てば、ＥＶへの転換が今後どのように進展するのか一定の読みを形成することができるからだ。それを考えてみたい。

ＥＶの共通した構造的特徴は、電池やモーター、インバータ、充電器などの主要部品が電気系部品になり、それらがケーブル（導線）で連結されるために、主要部品間の相互依存関係がより単純になるという点にある。他方エンジン車の主要部品は、エンジン、トランスミッション、ギア、ドライブシャフトなどの機械部品であり、これらの動作を機械的に伝達するために、主要部品は複雑な相互依存関係を形成している。

要するに、エンジン車からＥＶへの転換で生じる技術的変化は、従来の機械系伝達部品が電気系部品とケーブルに置き換わることによって、主要部品間の相互依存関係が単純になるということだ。さらに、主要部品がケーブルで連結されるために、長さの調整や配置を比較的自由に行うことができ、自動車設計の自由度が大幅に向上する。エンジン車では基本的に、４ＷＤを除くとＦＦかＦＲのレイアウトしか実現できないが、ＥＶではこの制約条件が大幅に緩和されるはずだ。主要部品間の依存関係が単純になるためである。

このような変化は、車のアーキテクチャーにとって大きな意味を持つ。主要部品の相互依存関係の複雑さが削減されることによって、モジュール化が実現しやすくなるからだ。既に述べたように、モジュール化を実現するためには、車全体をどういう主要部品群に分けてそれらをどう連結するのか、を規定するデザイン・ルールを策定することが必要になる。

そして、拡張性や保守性などを考慮に入れた秀逸なデザイン・ルールを策定できるかどうかが、成否を分ける重要なポイントになる。

これまでエンジン車において、モジュール化が難しかったのは、主要部品間の相互依存関係の複雑さのために、良いデザイン・ルールを策定することの難易度が高かったことによる。しかし、エンジン車からＥＶへの移行は、相互依存の複雑性を削減させる方向に働くために、優れたデザイン・ルールを見出すための敷居は随分と低くなったと言って良い。

では、どのようなデザイン・ルールが考えられるだろうか。

三種類のデザイン・ルール

図表３－１はＥＶの模式図であり、理解を促すために、あくまでも主たる部品のみがざっくりと記載されている。この模式図のもとで、三種類のデザイン・ルールが考えられる。

第一の可能性は、モーター、バッテリー、インバータなどの部品ごとに切り分ける場合だ。それらの部品間は事前に決められた標準的なインタフェースで連結されている。この場合は、各部品メーカーから最適な部品を調達して、そのインタフェースで連結することになる。逆

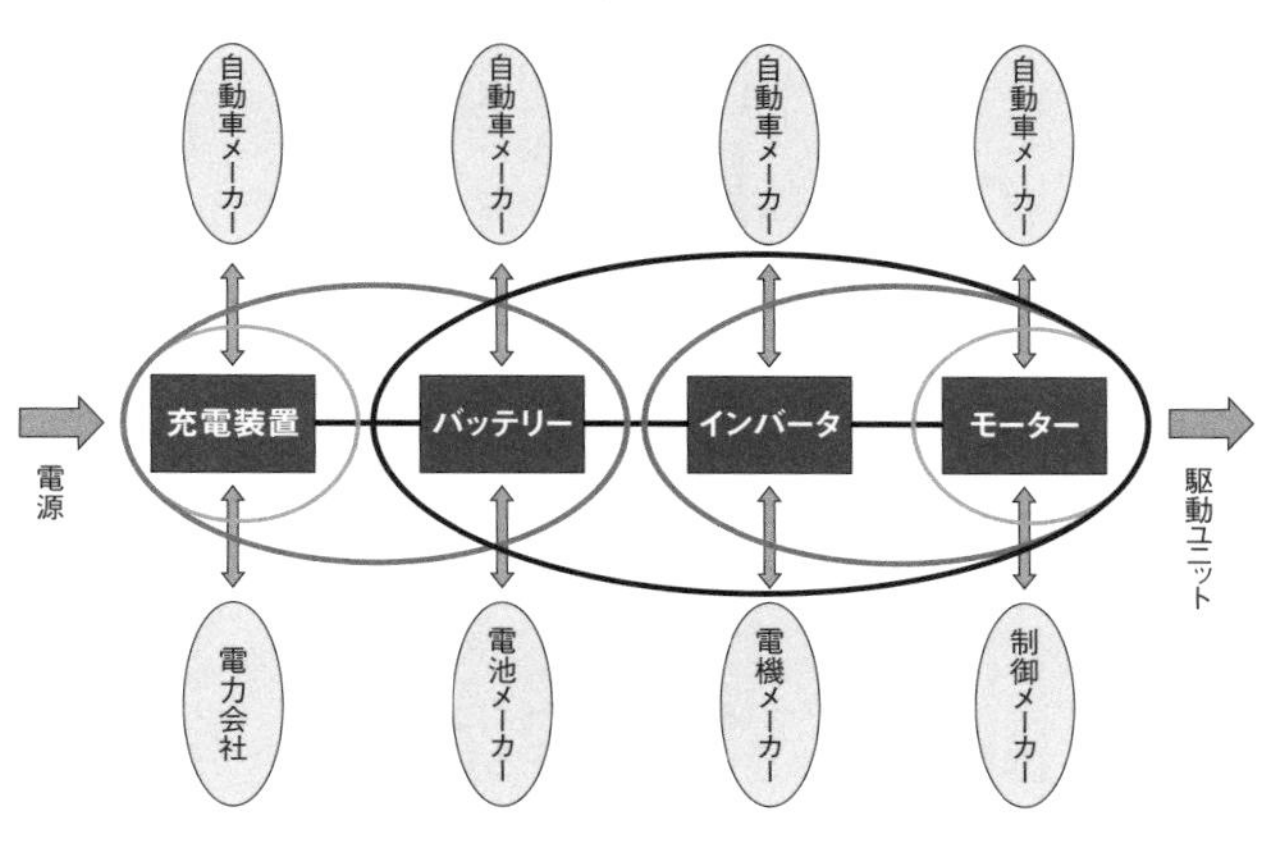

出所：著者作成

図表3-1　EVに関する様々なデザイン・ルール

に言えばインタフェースに準拠しさえしていれば、最新技術を採用したモーターやバッテリーなどにいくらでもアップデートできる。

第二の可能性は、モーターとインバータ、そしてバッテリーと充電装置という密接な関係を持つペアを二つ作るという方法だ。この場合、二つのペア間は定められたインタフェースで連結する必要があるが、ペア内はいくらでも企業独自の連結方法でつなぐことができる。だがペア内は独自の方法で連結されているために、部品のアップデートは常にペア単位で行う必要がある。モーターだけのアップデートはできず、常にインバータと一緒に交換しなければならない。

最後の第三の可能性は、モーターとバッテ

リーとインバータの三つの部品を一つのセットにする場合だ。この場合、これらの部品は独自の方法で連結されることになる。これら三つの可能性はいずれもモジュール化という意味では同じだ。しかし、ＥＶ全体をどう分けてどう連結するのかというデザイン・ルールが違うのであり、従ってＥＶのアーキテクチャーが違う。

重要なことは、このようなアーキテクチャー戦略の違いが将来の技術と産業の進化にまで影響を及ぼすという点だ。例えばモーターの技術革新のたびにバッテリーの変更を余儀なくされるようなデザイン・ルールの場合、次世代モーターを導入するコストが上昇して、ＥＶ全体の産業進化にマイナスの影響を与える。従って、モーターとバッテリーの技術革新を、他へ影響を及ぼさず独自に行えるようなデザイン・ルールが望ましいだろう。そして秀逸なデザイン・ルールとアーキテクチャーを実現するためには、関連企業間の調整と合意形成が必要になる。

垂直統合から水平分業へ

いずれにしても、エンジン車からＥＶへの転換によってモジュール化が進むと、車の組み

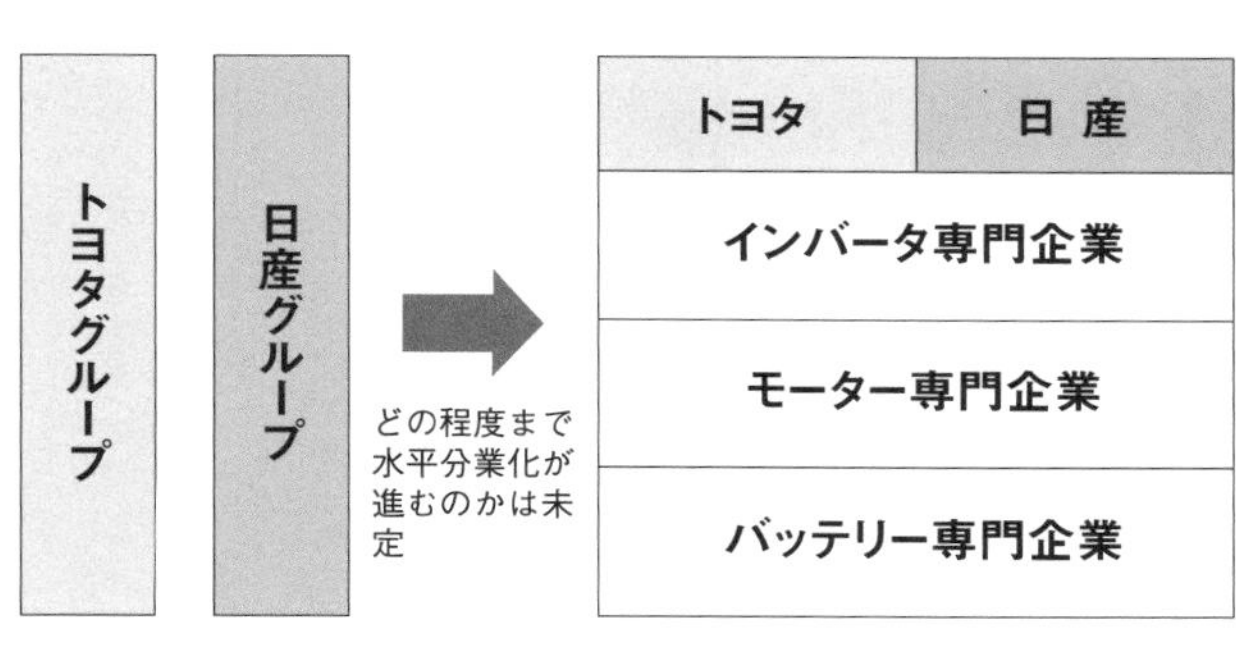

出所：著者作成

図表3-2　EVシフトによる産業構造転換の可能性

立て工程が生む付加価値は低下して、部品メーカーの力が今よりも大きくなるはずだ。それは車の産業構造と産業秩序にも影響を与えるだろう。

図表3-2を参照してほしい。左側は現在のエンジン車における垂直統合型の産業構造を表しており、トヨタ等の完成車メーカーを頂点として、いわゆる系列と呼ばれるピラミッド型の構造をなしている。良いエンジン車を作るためには、完成車メーカーと部品メーカーとの間で、細やかな調整作業や暗黙的なノウハウとスキルの共有と育成が不可欠であり、そのために完成車メーカーと部品メーカーは長期安定的な取引関係を形成してきた。そのような取引関係の中でこそ、暗黙的なノウハウやスキルは効果的に蓄積され共有されるからである。垂直統合的な仕組みにはそのような合

理性があった。

ＥＶになるとその仕組みはどうなるのか？　既に述べたように、製品のアーキテクチャーは組織や産業構造にまで影響を与える。ＥＶ化は製品のモジュール化を推し進める方向に働くために、ルールが明確になり細やかな調整作業の重要性は減少する。ＥＶ全体の調整作業にかかわるノウハウやスキルが生み出す付加価値は、エンジン車の場合に比べて相対的に少なくなる。そうなると、完成車を頂点とする垂直統合的な産業構造の合理性は減少する。その結果、従来の系列の枠を超えて、最も競争力のある部品メーカーから最適な部品を調達してＥＶを組み立てるというやり方の合理性が高まる。

いわゆる水平分業と言われる新たな産業秩序が形成される可能性が高まるだろう。だがそれは、パソコン産業のような部品ごとに完全に独立した産業形態になることを、必ずしも意味しない。パソコン産業はオープンのモジュール化であるのに対して、現時点でのＥＶはあくまでもクローズドのモジュール化だからだ。そこに大きな違いがある。図表の矢印はあくまでも、垂直統合から水平分業へ向かうという産業秩序形成の方向性を示しているのである。

そうなると、ＥＶの時代には、従来の系列に因われずに、世界中の完成車メーカーに部品を供給するメガサプライヤーが登場する可能性は高まる。例えて言うならば、丁度パソコン産業で、世界中のパソコンメーカーに対してインテルがＭＰＵを供給しているのと同じだ。モーター事業を展開する日本電産の永守重信会長は「ＥＶのインテルになることを目指す」と宣言する。その意味は、インテル同様、世界中のＥＶメーカーに対してモーターを提供することを目指すということだが、前記の流れを考慮すると理に適(かな)ったものとして評価できる。

脱炭素に向けたＥＶ化は、自動車産業における企業間の力関係にまで影響を与えて、完成車メーカーから部品メーカーへ主導権が移行する可能性が高まる。アーキテクチャー戦略の観点に立つとそのようなことが見えてくるのである。

３・２　日本が抱える不都合な真実

果たしてＥＶとＦＣＶは棲み分けるのか

話は少し変わる。脱炭素競争の中で日本の自動車産業が抱える特殊事情について考えてみたい。日本という国家の自動車産業の競争力にとって、重要な観点だと考えられるからである。

脱炭素の有力候補には、電気自動車（ＥＶ）と燃料電池車（ＦＣＶ）の二種類の技術が存在しており、現在互いに競争している状況である。次世代技術を巡って複数の技術が競合して併存しているという状況は、特段珍しくはない。

重要なポイントは、ＥＶとＦＣＶの関係をどう捉えるのかということだ。同程度に棲み分けて共存すると考えるのか、あるいは代替的な関係として捉えるのか、ということになる。もし代替的関係として捉えるならば、いずれどちらかに収束することになる。

その中で日本の大きな課題は、走行距離が長いＦＣＶを本命と見て、２０１４年にＦＣＶ「ミライ」を発表したトヨタ陣営と、ＥＶを早くから本命視して２０１０年にＥＶ「リーフ」を発表した日産陣営に分かれて競争しており、政府もこれまで両方を支援してきたし、現在も支援しているという点にある。もちろんトヨタも日産も、ＥＶとＦＣＶ両方の技術を手掛けてはいるが、本命視する軸足が違うのである。

そのような中でトヨタも２０２１年末には、２０３０年までにＥＶの年間生産目標を３５０万台までに大幅に引き上げると発表した。ＥＶに軸足を移したかのごとく見えるが、全方位戦略の旗を降ろしているわけではない。さらに日本政府は、ＥＶとＦＣＶは将来棲み分けて共存するという楽観的な見通しを依然として持っているようだ。つまりＥＶとＦＣＶ両方の旗を揚げ続けるという日本全体の構図は変わらない。

しかし、日本にとって不都合な真実かもしれないが、ＥＶとＦＣＶは棲み分けることはなく、いずれどちらかが淘汰されて一つが主流になるはずだ。もちろん電動車に移行する過渡期に限っていえば、当面両方が併存するだろう。だが過渡期を過ぎれば、どちらかが支配的になるはずであり、同程度に共存することは極めて困難である。一定期間ＥＶが支配的になった後に、今度はＦＣＶが支配的になるというシナリオはありうる。主力が一定期間を経てＥＶからＦＣＶに変わるというパターンだ。その逆のパターンもまたありうる。しかし、同程度の比率で棲み分けて共存することはあり得ないはずだ。

ＥＶとＦＣＶが共存しない理由

なぜ、ＥＶとＦＣＶは共存することはないのか。そこには二つの理由が存在する。一つめの理由は、車本体とスタンドの間にネットワーク外部性の力が働き、強いものがますます強くなるという正のフィードバックが働くからである。二つめの理由は、互換性のない二種類の電動車が存在し、二種類のインフラが存在することは、顧客にとって極めて不便だという顧客価値の観点である。以下順番に説明しよう。

電気を動力としてモーターを駆動させるという点では、ＥＶとＦＣＶは同じだ。ＥＶは車載バッテリーにあらかじめ電気を充電しておき、モーターを駆動させる。これに対し、ＦＣＶは燃料になる水素を車載タンクに貯蔵し、車載の燃料電池で化学反応を起こして発電しモーターを動かす。つまり、ＥＶは充電するための充電スタンドを必要とし、ＦＣＶは水素を補給するための水素スタンドを必要とする。

車とスタンドは、それぞれ単体では顧客に対して価値を生み出さない。価値を生むために互いに相手を必要とするという補完性が存在するために、両者の間にネットワーク外部性の力が働く。ネットワーク外部性は、補完性を持つ両者間で働く相互促進的な力で、その結果、強いものはますます強くなるという一人勝ちをもたらす。

例えば、充電スタンドの増加はＥＶの利便性を高めるために、ＥＶの利用者を増やす。それが充電スタンド増設をさらに後押しすることになる。このように充電スタンドとＥＶの間には相互に価値を強化し合う力が働くために、閾値（いきち）を超えて一度そのサイクルが回り始めると正のフィードバックが生まれ、加速度的にＥＶの普及が進む。

広く知られた例には、１９７０年代、家庭用ビデオ録画機（ＶＴＲ）市場のＶＨＳ陣営とベータ陣営の競争が挙げられる。当初は互角だったが、ＶＴＲのハードとビデオソフトの間で働くネットワーク外部性の力によって、１９８０年代半ばには事実上ＶＨＳ方式の勝利で決着した。もちろんＦＣＶと水素スタンドの間にも同様の力が働く。従って、どちらが早くその流れを作り出せるのかが、勝負の分かれ目と言って良い。

一度ＥＶへの自律的な流れが始まるとその潮流を止めることは難しく、ＦＣＶの巻き返しは極めて困難であろう。国は現在、車両の購入補助とスタンドの設置補助等で、ＥＶとＦＣＶ両方の普及を支援している。しかしたとえ過渡期は併存したとしても、将来にわたって両方が共存して棲み分けが定着することはあり得ず、どちらかが支配的になるはずだ。車本体と充電スタンドに働くネットワーク外部性に着目することで、そのようなことが見えてくる。

ＥＶとＦＣＶの棲み分けは顧客価値を生むのか

二つめの理由は、ＥＶとＦＣＶの棲み分けという選択は果たして顧客に価値を生み出すのかという点だ。顧客が欲しいのは、あくまでも炭素を出さない快適な移動手段であり、ＥＶ

とＦＣＶの技術の細部にこだわりがあるわけではない。自明のことだが、ＥＶかＦＣＶかという技術は、顧客に価値を届けるための手段であるに過ぎない。

ＥＶとＦＣＶが棲み分けて共存するということは、充電スタンドと水素スタンドという二種類の走行インフラを必要とすることを意味する。仮に共存するとした場合、例えば高速道路のサービスエリアには、どちらのスタンドを設置すればいいのだろうか。両方のスタンドを設置すると社会的コストがかかる。他方で、どちらか一種類のスタンドを設置する場合、どちらにすればいいのかは悩ましいところだ。このような状態が果たして、顧客に利便性をもたらすのだろうかということを考える必要があるだろう。

ＥＶとＦＣＶが棲み分けるという主張に接すると思い出すのが、日本のテレビ産業の経験だ。実はテレビ産業においても、２０００年代ブラウン管テレビから薄型テレビに移行する技術の転換期、同様のことを経験してきたからだ。当時薄型テレビには、液晶テレビとプラズマテレビという二種類の技術方式が存在しており、液晶テレビを主導するシャープ陣営とプラズマテレビを主導するパナソニック陣営に大きく分かれて競争してきた。

技術の転換期には同じことが繰り返される典型例のようなものだが、今のＥＶとＦＣＶとまったく同じように、当時もまた、液晶とプラズマは棲み分けて共存すると言われていた。

42インチ以上の大画面になると液晶テレビの画質が劣ることから、42インチ以上はプラズマになりそれ以下は液晶になるというのが当時の業界関係者の共通認識だったのだ。

ところが現実はどうなったか。プラズマテレビは淘汰されて液晶テレビに一本化されたのである。そもそも、一体なぜ日本のテレビメーカーは液晶陣営とプラズマ陣営に分かれたのか。

私は以前パナソニックの技術者にインタビューしたことがある。なぜプラズマを選択したのかという私の問いに対して、シャープが既に液晶をやっていたからだ、と答えた。つまり競争相手だったシャープが液晶に既に着手しており先行していたために、シャープがまだやっていないプラズマを選択したというのがパナソニックの理由だった。その選択は顧客価値の観点よりも、競争相手の動向を重視した選択だった側面が強い。

社会的コストを減らすために

かつてテレビ産業で経験したことと同じ状況が、脱炭素競争においても生まれつつある。次世代技術の座を巡って、二つの技術が競争するという構図は論理的にはまったく同じだ。

とするならば、テレビ産業と同じ結末を自動車産業も迎える可能性は高いのではないか。顧客価値という観点から考えるならば、ＥＶとＦＣＶのどちらかが淘汰されて、最終的に一つの方式が市場によって選択されるはずだ。

このようにネットワーク外部性と顧客価値というどちらの観点から考察しても、技術の過渡期を超えると、最終的にはいずれどちらか一つの方式が支配的になって定着すると考えられる。

にもかかわらず、日本政府は、ＥＶとＦＣＶは共存するという前提で物事を進めているようだ。そしてこのことが、日本の消費者にとって電動車の本命が見えにくい状態を作り出し、購買意欲につながりにくい要因の一つにもなっている。

最終的にどちらか一つに淘汰されるにもかかわらず、共存するという前提で物事を進めてしまうと、価値を生まないものにまで投資してしまうという社会的コストを被ることになる。

その点についてテレビ産業と自動車産業の大きな違いは、どちらか一つに淘汰されることによって失う社会的損失の大きさと広がりである。プラズマテレビ開発に対してパナソニックが投じた研究開発費用や設備投資費用は、最終的に社会的価値を生まなかったと言わざるを得ない。それは当該企業にとってはもちろん手痛い損失だが、主として個別企業内での損失にとどまる。

一方電動車の場合、走行機能というインフラに相当し裾野産業もはるかに広いだけに、影響の広がりと損失は桁違いであろう。にもかかわらず現時点でも、充電スタンドの設置などに対して継続的な政府支援が行われている。

一つに収束するということは、別の方式へこれまで投入してきた投資が価値を生まずに終わることを意味する。これを無駄と考えるのか、あるいは産業を進歩させるための必要不可欠な社会的コストと捉えるのか、ここは見解の分かれるところかもしれない。だが、たとえ後者と捉えるとしても、それは少なければ少ない方が良いはずだ。

従って、できるだけ早く一つに集約して社会的コストを少なくする仕組みを考え出す必要がある。ただ、市場メカニズムに最終決着をゆだねているだけでは、社会的コストは限りなく高いものについてしまうからだ。また、日本の自動車メーカーもこのような技術の大きな転換時期においては、競争相手の動向の観点のみならず、国家の産業競争力という俯瞰的な観点から戦略を策定することが求められるだろう。

第4章

自動運転開発競争とアーキテクチャー戦略

脱炭素以外で、自動車産業が直面するもう一つの挑戦は自動運転開発競争である。自動運転は、車の走行環境をセンサー等で俊敏に察知したうえで、それらの情報に基づいて車を自動制御する。それによって安全性、操作性や快適性等を向上させ、車の価値を大きく高めることが狙いである。

この技術を巡って、トヨタなどの完成車メーカーは言うまでもなく、グーグルやウーバー等のＩＴ関連企業が異業種から参入しようとして激しい開発競争を繰り広げている。

本章では、アーキテクチャー戦略から見えてくる自動運転開発の潮流を議論する。

４・１　自動運転とＥＶ

自動運転の仕組みと最重要課題

アーキテクチャーの観点に立つと、これまで見えなかった新しいことが見えてくる場合がある。その一例は、ＥＶ技術と自動運転技術は共進化しながら、自動車産業の技術潮流を作り出していくということだ。自動運転技術の進化がＥＶの普及を後押しし、ＥＶの普及もまた自動運転の促進を後押しするという相互促進的な関係だ。ＥＶと自動運転は相互に価値を高め合う補完的な関係になっているのだ。アーキテクチャー戦略からはそのようなことが見えてくる。

それを説明する前に、まず自動運転の仕組みを簡単に確認しておきたい。自動運転では、外部の様々な状況をセンシングして歩行者や車の状況を認識し、それに基づいて車の適応行動を判断する。そして、その判断に基づいて、車本体の駆動系に対してハンドルやブレーキ、アクセル等の制御指示を出すという一連の動作を走行環境下で高速で繰り返すのだ。

従って、センシング、認識、判断という一連の動作を行う自動運転装置側と車本体との間で、正確で高速な信号のやりとりが必要になり、それを可能にするインタフェースが要求される。つまり車の自動運転システムのアーキテクチャーは、車本体と自動運転装置の二つのユニットから大きく構成され、制御信号がそれらユニット間を高速に行き交いながら車の自動走行を実現するものである。自動制御の水準に応じて、簡易支援のレベル１から完全自動運転のレベル５まで存在するが、システムの基本構造は変わらない。

さらに自動運転システムは、自動運転ユニットがエンジン車に装着される場合、ＥＶに装着される場合、さらにＦＣＶに装着される場合の三種類があるが、そのような基本構造は変わらない。いずれの形態の自動運転もありうる。現在世界中で様々な走行環境を想定して試験走行を行い、データを収集しているが、現時点では、エンジン車が主流であるために、エンジン車に装着されて試験走行している場合が多い。

自動運転普及のための最重要課題は、言うまでもなく安全性をいかにして確保するのかという点にある。どれほど車内空間の快適性が高まっても、誤動作を引き起こし事故になるようでは普及しない。自動運転システムをアーキテクチャーの観点から見るとは、自動運転システム全体の分け方と、分けたもののつなぎ方に着目することだ。

この観点に立つと、安全性を脅かす不具合は大きく二か所で発生することがわかる。一つは自動運転ユニット自身で発生する不具合である。もう一つは、車本体と自動運転ユニット間のインタフェースで発生する不具合である。前者は、車の外部環境をセンシングして、認識し、判断するという一連の高速動作を、自動運転ユニットが行う最中に不具合が発生する場合だ。例えば、急に飛び出す歩行者の動作を正しく認識・判断できない場合がそれに相当する。

他方で後者は、車本体と自動運転ユニット間で行われる高速な制御信号のやりとりに起因する誤動作である。自動運転ユニット側の判断技術が十分進化して、外部環境を正確に認識できても、このインタフェースが誤動作すれば、車は事故を起こすことになる。

例えば、歩行者の急な飛び出しを正確に認識・判断できても、車本体との制御信号のやりとりに不具合が起これば、本来ブレーキをかけるべきところで、アクセルを踏んで加速してしまうという事態が起こりかねない。その意味で複雑なインタフェースは誤動作を招くリスクが高まる。従ってインタフェースのルールはできるだけ単純な方が良い。そして、単純であればあるほど誤動作リスクは低下する。

２０１８年、米ウーバー・テクノロジーズ（Uber Technologies）の自動運転車両が米国のアリゾナ州で歩行者死亡事故を起こしたことは記憶に新しい。この車両はスウェーデン・ボルボ車のＳＵＶ（多目的スポーツ車）「ＸＣ９０」に、ウーバーが開発した自動運転装置を搭載したものだ。米国家運輸安全委員会（ＮＴＳＢ）が２０１９年11月5日に調査報告書を公表したが、それによれば事故の原因は自動運転装置の認識・判断機能にかかわるアルゴリズムの誤動作である。

つまりこの死亡事故では、自動運転ユニット内の不具合が原因である。だが今後の試験走行が進み、得られるデータが蓄積されればされるほどＡＩ機能の学習が進み、ユニット内のセンシングや判断アルゴリズムに起因する誤動作は減少するはずだ。さらに残る問題はインタフェースに起因する誤動作である。

技術の補完性

ＥＶとＦＣＶ、そしてエンジン車をインタフェースの観点から比較すると、エンジン車とＦＣＶの方が、ＥＶよりも複雑なインタフェースを必要とするはずだ。エンジン内部ではガソリンなどの燃料を燃焼させて、熱エネルギーを取り出し、それを機械エネルギーに変換することが行われている。つまりエンジン内部では化学反応が連続して高速で行われており、そのエンジン制御と自動運転ユニット側で行われる認識・判断機能を正確かつ高速に連動させる必要がある。ＦＣＶにおいても、水素と酸素を化学反応させて電気エネルギーを取り出しているために、事情はほぼ同様だ。

それに比べて、ただ単に電流でモーターを制御すれば良いＥＶの場合、単純なインタフェースで済むはずだ。このことはとりもなおさず、インタフェースに起因する誤動作リスクはＥＶが最も低くなることを意味する。仮に自動運転ユニットの認識・判断機能が技術的に同一水準であった場合、ＥＶに比べてＦＣＶやエンジン車の方がインタフェースに起因する誤動作リスクが高いのである。

つまり、自動運転システムの最重課題である安全性を高めようとすれば、エンジン車やＦＣＶよりＥＶを選択した方が良いことになる。その逆に、ＥＶの採用は自動運転システムの設計安全性を向上させるだろう。ＥＶと自動運転は、安全性という価値を相互促進的に高め合いながら発展するという補完的な関係になっている。

ＥＶがどの程度のスピードで普及するのか、認識能力に限界を持つ人間は将来を完全に読み切ることはできない。普及スピードに対しては、充電スタンドの設置台数やＥＶの価格等が影響を持つことが容易に想像され、このこと自体は広く知られているだろう。アーキテクチャー戦略の観点が教えてくれることは、それらの要因に加えて、自動運転技術との相性という観点もまた欠かせないということだ。

このことは電動化競争と自動運転競争をまったく別個の技術課題として議論するのではなくて、技術間の補完性を念頭に置きながら、それらの技術群をセットにして議論することの必要性を示している。現在は遅々とした歩みのように見えても、ある閾値を超えると車の両輪となって普及の波が一気に押し寄せてくるはずだ。電動化と自動運転への流れは一度動き出すと、坂道を転げ落ちるように加速するに違いないという技術潮流の見通しを得ることができる。問題は、いつになれば閾値に到達するのか、その正確な予見は人知を超えているという点にある。

4・2 「世界最強産業」の盛衰に学ぶ

工作機械産業の経験

ここで、世界最強産業とも言うべき日本の工作機械産業の貴重な経験を、簡単に紹介しておきたい。自動運転開発競争の潮流を先読みするのに、工作機械産業の経験が極めて有効だからだ。

工作機械とは、機械を作る機械であり、車や航空機、スマホなどありとあらゆる機械は工作機械による加工や切削によって作られる。その意味では、母なる機械、つまりマザーマシンと呼ばれることもある。その機械を自動制御する装置がＣＮＣ（コンピューター数値制御、

Computerized Numerical Control）装置であり、ＣＮＣ装置を付加した工作機械をＣＮＣ工作機械と称する。日本は、１９８２年に米国とドイツを抜いて世界一の生産高に躍り出て以来、この四半世紀の間、世界一の生産高を維持し続けた。四半世紀もの間、日本が世界一の生産高を維持してきた産業は、私が知る限り他に存在しない。その意味で、世界最強産業と言っても良いのではないか。

実は、このＣＮＣ工作機械のアーキテクチャーは、自動運転のそれと類似した側面を持つために、その経験から学べるものは多い。アーキテクチャーは、個別要素技術それ自身の内容ではなくて、全体を構成する構成要素間の関係性に関心を持つ。従って、個別の産業特性や技術内容は違っているが、アーキテクチャーは同じということが大いにありうる。車の自動運転とＣＮＣ工作機械は、産業特性も違うし個々の技術内容も違うのだが、図表４‐１（次ページ）に示すようにアーキテクチャーの観点では類似している。その場合、ＣＮＣ工作機械産業が辿った盛衰過程をひも解くことは、今後の自動運転開発戦略に資するところが多い。

改めて確認すると、車の自動運転システムでは、自動運転ユニットと車本体との間を制御信号が高速で行き来することで、車の自動走行と自動制御が可能になる。

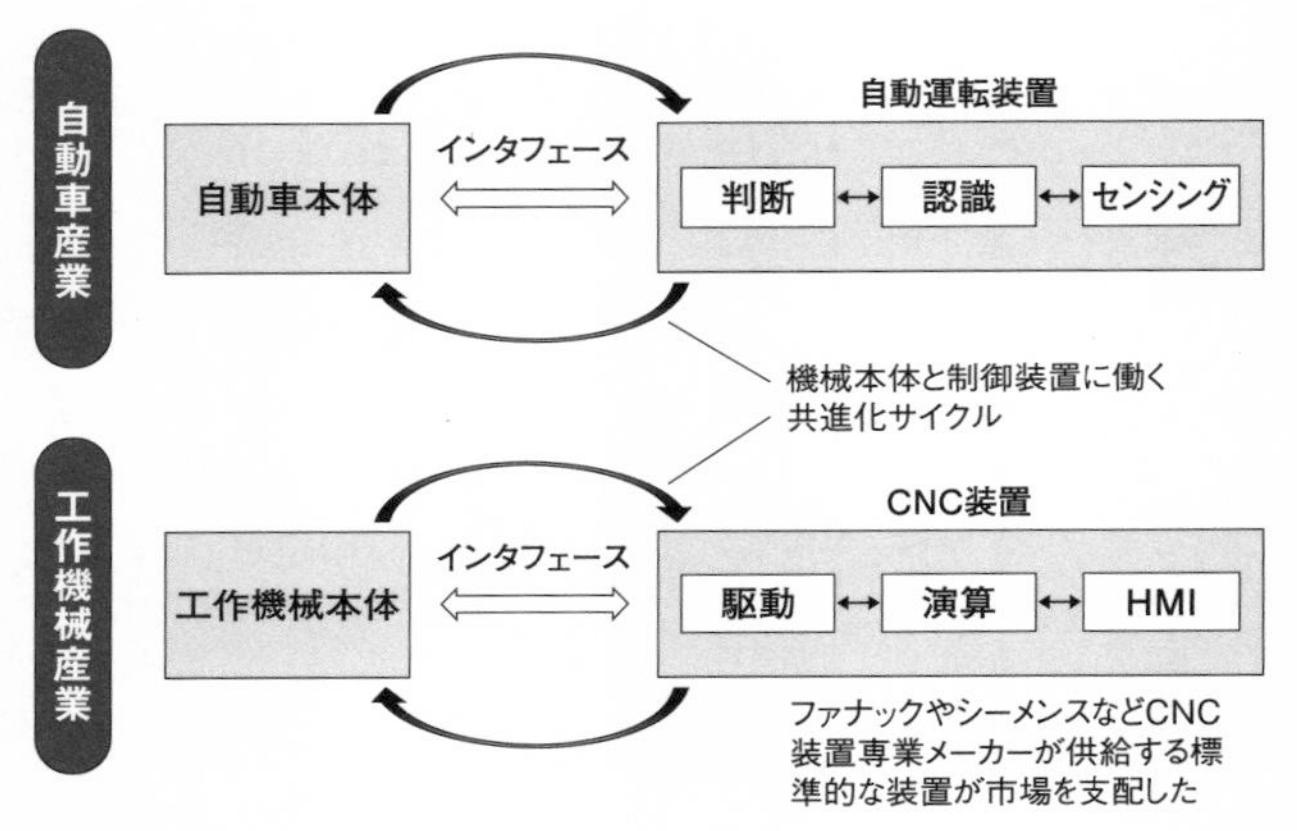

出所：著者作成

図表４-１　車の自動運転と工作機械の自動制御のアーキテクチャー

このような自動運転ユニット開発の主導権争いには二つのシナリオが存在する。一つは、言うまでもなくトヨタなど完成車メーカーである。もう一つは、車を自分で作るわけではないが、自動運転ユニットを開発して多くの完成車メーカーに提供する自動運転ユニット専業メーカーである。画像認識技術を応用して自動運転に参入しようとしているグーグルは、後者のタイプに相当する。これら二種類の企業は、目指す設計戦略について異なる合理性と動機付けを持つ。

完成車メーカーは、自社の車の価値を最大限に引き出すために、車種ごとに最適設計された自動運転装置を開発する動機を強く持つ。特に強い競争力を持つ完成車メーカーにとっては、自然な戦略だろう。確かにそれは、高機能・高性能できめの細やかな機能を提供できるが、特注度合いが高まり他の車種への転用性には劣る。さらに、最適化するためには、自動運転装置と車本体のインタフェースを車種ごとに違ったものにする傾向が強まる。

他方、専業メーカーは、特定車種に最適設計された特注品を作るよりも、できるだけ多くの車種に対して自社の自動運転ユニットを売りたいという動機を強く持つはずだ。従って、できるだけ標準化されて転用性が高い自動運転装置を開発しようとする。それは特定車種に最適設計されているわけではないから、当初の性能や機能は一定水準にとどまり、車の価値の最大化という点では当面見劣りがするかもしれない。しかし、他の車種への転用性は高いものになる。さらに、自動運転ユニットと車本体のインタフェースをできるだけ共通化しようとする動機が働く。

日本はどちらのシナリオを選択すべきだろうか。これは今後の自動運転開発競争の行方を考えるうえで極めて重要なポイントだが、どのような観点から考えればいいのだろうか。ヒントは、同じアーキテクチャーを持つＣＮＣ装置開発の先行経験から得られる。

成功要因

実際のところ既に日本は、１９７０年代、工作機械を自動制御するＣＮＣ装置の開発で同様の先行経験をしてきた。ＣＮＣ装置の開発を契機として世界の先頭に躍り出たという成功体験を持つ。その成功要因の一端を紹介しよう。

１９８０年代は日本の製造業の国際競争力が高まり、その理由を巡って様々な研究が米国でも行われた。その一つに米国ＭＩＴを中心とする米国産業生産性調査委員会があるが、彼らが１９８９年に出したレポート『Made in America』は、ＣＮＣ装置の日米間の開発形態の違いを指摘した。簡単に開発形態の違いを要約すると次のようになる。

日本では、ファナック等の他業種から参入したＣＮＣ装置専業メーカーが主導し、標準的なＣＮＣ装置の開発を目指した。ファナックは富士通の社内新規事業としてＣＮＣ装置を開発するためにスタートした企業であり、工作機械産業以外の異業種から参入した。そしてできるだけ多くの工作機械メーカーに販売するために、転用性が高い標準的なＣＮＣ装置の開発を目指したのである。自然な動機付けと言って良いだろう。その結果日本の工作機械メーカーの多くは、ＣＮＣ装置の開発をファナックに任せて、自らは工作機械本体の開発に専念できたのである。

他方米国は、当時強かった米国の工作機械メーカーがＣＮＣ装置の開発を主導したために、それぞれの機械に最適化した独自のＣＮＣ装置を開発した。例えばシンシナチ・ミラクロン等の工作機械メーカー自身がＣＮＣ装置の開発を先導したのである。この場合、工作機械メーカーは、自社の機械特性に合致した最適な切削性能と機能を持つＣＮＣ装置を開発しようとする自然な動機を持つだろう。強い工作機械メーカーは自社の工作機械特性を最大限引き出すために、機械に最適化したＣＮＣ装置を自社開発したいと考えるはずだ。

工作機械を自動制御するＣＮＣ装置の開発形態に関して、日米の間にはこのような違いが存在していたのである。その結果、一体何が起こったのか。

日本の工作機械産業はＣＮＣ装置開発を契機として、１９８０年代以降世界の先頭に躍り出たのである。それ以降の四半世紀にわたり、日本の工作機械産業は世界最強産業であり続けているが、それはここから始まった。他方でそれまで世界最強だった米国の工作機械産業は、今日に至るまで長期低迷を続けている。つまり日米の覇権の交代はＣＮＣ装置開発を契機として引き起こされたと言って良い。

ここで重要な観点は、進化能力がどの程度埋め込まれているのかという観点だ。日本の標

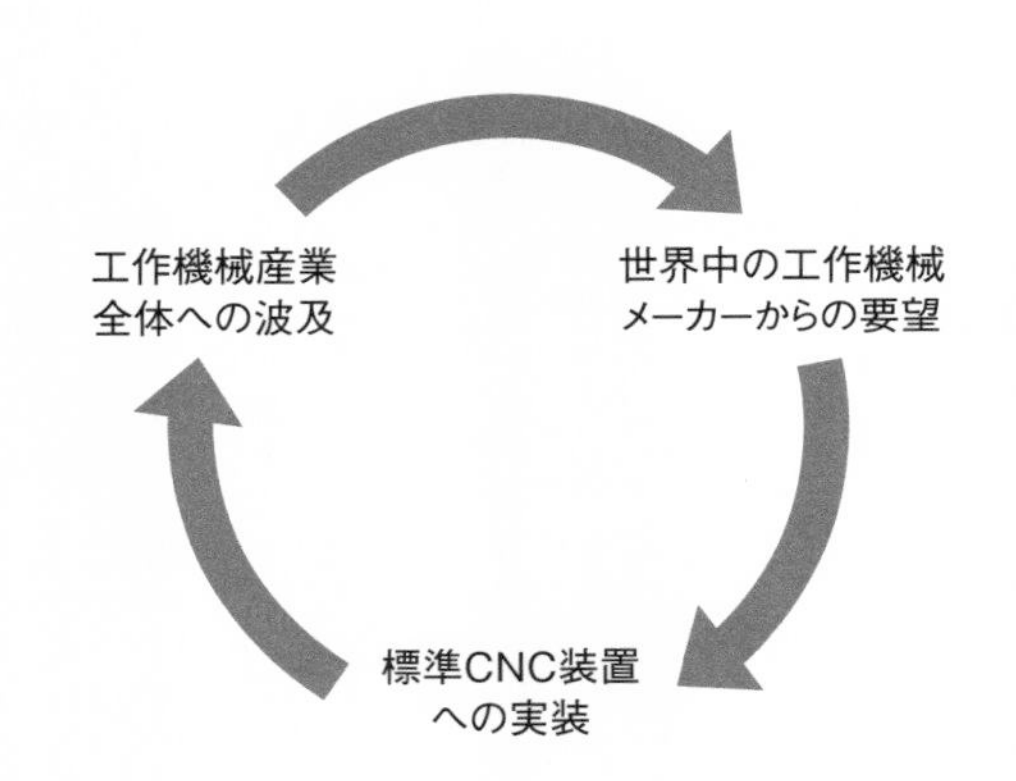

出所：著者作成

図表4-2　CNC装置と工作機械との共進化サイクル

準的なＣＮＣ装置は、多くの工作機械メーカーからの要望が流れ込む技術集積装置となり、それが広く使われることで工作機械の技術水準が一層向上し、それが再びＣＮＣ装置の進化を促したという共進化サイクルが形成されたと考えられる。ＣＮＣ工作機械システムは、ＣＮＣ装置と工作機械本体とに分割されており、モジュール化されている。その場合、互いに補完財であるＣＮＣ装置と機械本体との間に、相互促進的に価値を高め合う仕組みが作られたのである。

他方、工作機械メーカーが主導した米国の場合、確かに最適設計による目先の価値の最大化は実現できたが、進化スピードに劣った。その結果、ＣＮＣ装置の台頭を契機として、米国工作機械産業は低迷した。重要な点は、産業全体として進化を促す仕組みが組み込まれているかどうかであり、同じメカニズムは自動運転装置と車本体との間でも働くはずだ。つまり、専業メーカー主導のシナリオの方が、最終的には高度な技術進化を達成する可能性が高い。

加えて自動運転の場合、人工知能の学習速度という観点からも専業メーカー主導の合理性が高い。自動運転の鍵は、センサー経由で収集した大量のビッグデータを使って、いかに早く正確に外部状況を認識し判断するのかという点にある。そのために人工知能の深層学習技術が使われるが、いかに多くの高質データを収集できるのかが学習スピードに影響を与える。多くの完成車メーカーに使われることで多くの走行データを収集できる専業メーカー主導の開発が、長期的には高度な進化を遂げるはずだ。一方で完成車メーカー主導の場合、収集できる走行データは自分の車に限定されてしまう。

「最適化の罠」に陥るな

ここで工作機械産業の経験から得られる示唆を整理しておこう。

現在、CNC装置のほとんどは、工作機械メーカーではなくてファナックや独シーメンス等専業メーカーから供給されている。歴史は専業メーカー主導のシナリオが覇権を握ったことを教えている。とするならば、自動運転開発に際しても特定車種への最適化にこだわるよりも、転用性に優れた標準的な自動運転装置を分業開発し、共進化サイクルを作り出すことだろう。

最適化した装置に比べて当初は性能が必ずしも十分とは言えないかもしれない。しかし、世界中の完成車メーカーからの走行データを蓄積することで急速に進化を遂げて、完成車メーカー独自の自動運転装置をいずれ凌駕(りょうが)してしまう可能性が高い。それこそが、まさにグーグルが目指している戦略に違いないのである。

日本の完成車メーカーはエンジン車で高い競争力を有している。だがその強さゆえに、自分の車への最適化に引きずられる「最適化の罠」に陥らないよう細心の注意が必要だ。最適化の罠とは、その強さゆえに目先の顧客への最適化に囚われてしまい、中長期的な進化を促す仕組みの構築をおろそかにしてしまうことを言う。「最適化の罠」の厄介なところは、目の前の顧客ニーズに最大限応えることの正当性に対抗する論理が見出しにくいからである。

もちろん短期への対応、目の前の顧客ニーズに応えることは重要だ。しかし、変化の波がとりわけ早い今日においては、持続的に競争力を維持するためには何よりも進化を遂げることが重要であり、そのためには進化を促す仕組みを組み込んでおくことだ。１９６０年代最強だった米国の工作機械メーカーも、その強さゆえに、自然な成り行きとして最適化の罠に陥ってしまったのではないだろうか。

最適化の罠に陥ることを避ける一つの方策は、顧客ニーズへの対応から距離を置いた中立的な組織を別に設立することだろう。完成車メーカーの場合、自分の車の開発部署から離れた中立的なところに部署を設置して、そこで自動運転ユニットの開発を行うことを意味する。それは形式的に、単に組織を分けさえすれば良いというものではない。その本質は、自分の車に最適化しようとする力を排除して、転用性を重視した自動運転ユニット開発への動機付けを埋め込んだ開発環境を作ることである。

工作機械産業と自動車産業は別産業だが、たとえ産業特性は違っても、類似したアーキテクチャーを持った産業の先行経験から得られるヒントは多い。アーキテクチャーに着眼することの意味は、このような点にもあるのだ。

第5章

産業アーキテクチャー

――日欧高速鉄道システムのアーキテクチャー

新幹線、つまり高速鉄道システムは日本が世界に誇る技術の一つだ、と多くの日本人は考えているはずだ。スピードのみならず、列車運行時の快適性、安全性、正確さなど、総合的に見て高い水準にある。そして政府もまたそのように考えているからこそ、新幹線の海外輸出支援に力を入れている。

本章ではこの高速鉄道システムを取り上げて、産業アーキテクチャーを考えてみる。アーキテクチャーのレンズを通して見ることで、同じ高速鉄道システムでも、日本と欧米ではその仕組みがかなり異なっていることがわかる。

産業アーキテクチャーとは、当該産業を構成するサブシステム間のインタフェース、あるいは主たるプレイヤー間での分業の仕組みと分業インタフェースのことを言う。たとえ同じ産業であったとしても、国によって分業の構造や仕組みが違うのは興味深い。

産業アーキテクチャーが違う例として広く知られているのは携帯電話産業だろう。携帯電話産業は、ドコモやソフトバンクなど通信キャリアと、ソニーやパナソニックなど携帯電話端末メーカーの協働によって実現される。通信キャリアと端末メーカーという二つのプレイヤーが、携帯電話産業を成立させている主たるプレイヤーだという点は、日本であろうが欧米であろうが違いはない。だがアーキテクチャーという視点を通して見ると、日本と欧米の違いが見えてくる。従来日本の携帯電話サービスは、通信キャリアと端末メーカーの緊密な連携と調整によって提供されており、端末機器は特定の通信キャリア向けにカスタマイズされていたと言っても過言ではなかった。

ここであえて「されていた」という過去形を使うのは、２００７年アップルのアイフォーンの登場によって、通信キャリアとの従来の緊密な関係が崩されたからだ。現在では、アイフォーン以降のスマートフォンの普及によって、端末は通信キャリアによる縛りから解放された状態、いわゆるキャリアフリーと言われる方向にシフトしている。

他方、欧米の携帯電話サービスは従来キャリアフリーであり、端末機器はどの通信キャリアでも使えるように標準化されて開発されている。つまり端末機器開発に際して端末メーカーと通信キャリアとの間の緊密な調整は必要ない。このように日本と欧米では、端末メーカーと通信キャリア間の分業の仕組みが異なっており、産業アーキテクチャーが違っていたのである。

同様の違いが、高速鉄道産業においても見られるが、その違いの認識こそが新幹線の海外輸出戦略の根底に必要なものだ。

5・1　高速鉄道産業へのアーキテクチャー思考

「線路」「車両」「運行管理」という三つの機能階層

高速鉄道は複数の部分から成るシステムであるから、アーキテクチャーという視点から捉えることができる。アーキテクチャーの視点から見ると、図表5-1に示すように、高速鉄道システムは三つの階層から構成される。

高速鉄道が顧客に対して提供する価値とは、言うまでもないことだが、快適かつ安全に高速で移動できるということだが、この顧客価値は、三つの機能階層が連携することで実現されている。

まず、最下層にはインフラに相当する線路（レール）階層が存在する。この線路階層の考え方は、日本と欧州では大きな違いがある。日本の高速鉄道、すなわち新幹線の場合、在来線とは別に専用線を引き、その上を高速車両が走る仕組みになっているのに対して、欧州の場合、在来線と共有している。例えばフランス国鉄が運行するＴＧＶは、在来線に乗り入れ

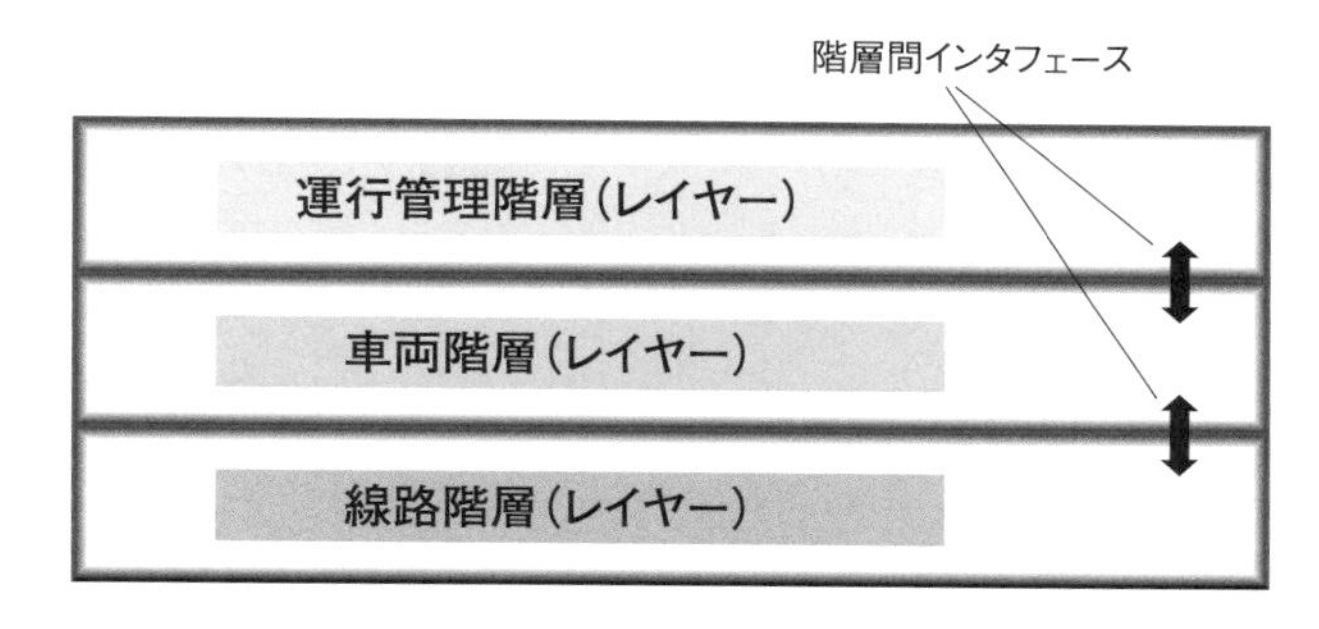

出所：著者作成

図表5-1　高速鉄道システムのアーキテクチャー

ており、駅のホームも在来線と共有している。日本の新幹線のように駅に専用のホームを持っているわけではないのだ。いずれの方式にしても、線路の上を車両が高速で走るのであるから、それがしっかりと安定していなければならないことは言うまでもない。

次に、その上を走る車両階層が存在する。線路と車両とのインタフェースは鉄のレールと鉄の車輪である。それぞれに規格があり、日本ではJIS規格、欧州ではUIC規格（UIC;International Union of Railways 国際鉄道連合）で規定されている。つまり日本と欧州では線路の規格が異なる。いずれにしても、車両は乗客をシートに乗せた状態で、鉄の線路の上を高速で安全に運搬するという重要な機能を果たす。従って様々な革新がこの車両機能に対して行われてきた。車体の素材を鉄からアルミに変えることで大幅な軽量化を実現したり、パワーエレクトロニクス技術を導入して制御機能や環境性能を高めたり、あるいは空気力学の進歩を取り込んだ先進的な先頭形状を作るというような革新がそれだ。

そして車両の設計に際しては、技術革新だけではなくて、国ごとに違う安全思想や気候条件等を考慮することも重要になる。例えば台湾新幹線の設計に際して、核になるシステムには日本メーカーの技術仕様を採用したが、安全に関するところには一部欧州メーカーの技術仕様を採用した。これは高速鉄道に関する安全思想の違いからきている。また後述するが、日立製作所が英国の高速鉄道市場に参入する場合、日本の新幹線仕様ではなくて、欧州規格に合致した車両を開発しなければならなかったのである。

さらに、安全運行のためには車体の保守作業が重要になるが、これらの規定やノウハウも国や企業によって異なる。日本の場合、運行管理を行うＪＲが保守も一括して行っているために、保守のノウハウや関連技術は鉄道サービス事業者であるＪＲに蓄積されている。新幹線については、2日に一回の仕業検査、30日に一回の交番検査、60万キロメートル走行後の台車検査、１２０万キロメートル走行後の全般検査と細かく規定され、検査にあってどの部位を検査するか、各社ごとのマニュアルに規定されており、そのマニュアルが鉄道事業者のノウハウと言って良い。

そのため後述するように、日立が英国に進出してクラス３９５の受注に成功した後、保守作業に関してＪＲの支援を受けた。例えば新幹線車両の点検修理や点検箇所等についての助言、日立社員の新幹線保守基地での実習、ＪＲ東日本社員の日立への出向等の技術支援契約を結んだ。現在日立は、稼働データの蓄積も進んだことから、ＪＲの支援を受けながらも同時に保守作業の現地化を進めている。

最上位には、運行管理をつかさどる運行管理階層が存在する。これは安全性を維持しながらもできるだけ運行密度を高め、しかもダイヤ通りに確実に鉄道の運行を実現する運行管理機能である。東海道新幹線の例がわかりやすいだろう。

周知のように東海道新幹線では、のぞみ、ひかり、こだまという三種類の列車が同じ線路を走っているが、これらはスピードも停車駅もそれぞれ異なる。しかも最短で3分30秒間隔という頻度で運行しているために、途中で列車の追い越しをしなければならない。これらの複雑なダイヤを安全に確実に実現するための機能が運行管理機能である。この機能を実現するには、鉄道システム全体を集中管理している地上の集中管理室と、走っている列車との通信が必要になる。この通信の方式と仕組みが欧州と日本では異なる。

このように高速鉄道システムとは、線路、車両、運行管理という三つの機能階層の組み合わせとして考えられる。顧客はそのことを意識しているわけではないが、これらが三位一体となって一つの高速移動というまとまりある価値を顧客に提供している。どの程度の価値を生み出せるかは、個別階層の性能や機能以外に、三つの機能階層間のインタフェースの良し悪しの影響を受けるだろう。線路と車両の間、車両と運行管理の間のインタフェースの良し悪しが、高速鉄道サービス全体の完成度や利便性に影響を与える。

車両のアーキテクチャー

車両もまたシステムであるから、車両をアーキテクチャーの観点から見ることができる。近年、高速鉄道ビジネスが新興国も含めてグローバルに広がってきたことを受けて、製造・保守コストの削減と車両間互換性の維持のために、車両のモジュール化に向けた動きが進んでいる。

車両のモジュール化と標準化に最も積極的に取り組んでいるのは欧州勢である。欧州のMODTRAINプロジェクトがそれに相当する。そのプロジェクトでは鉄道事業者、車両メーカー、大学等36機関が参加して、2004年2月から2008年4月にかけて車両の標準

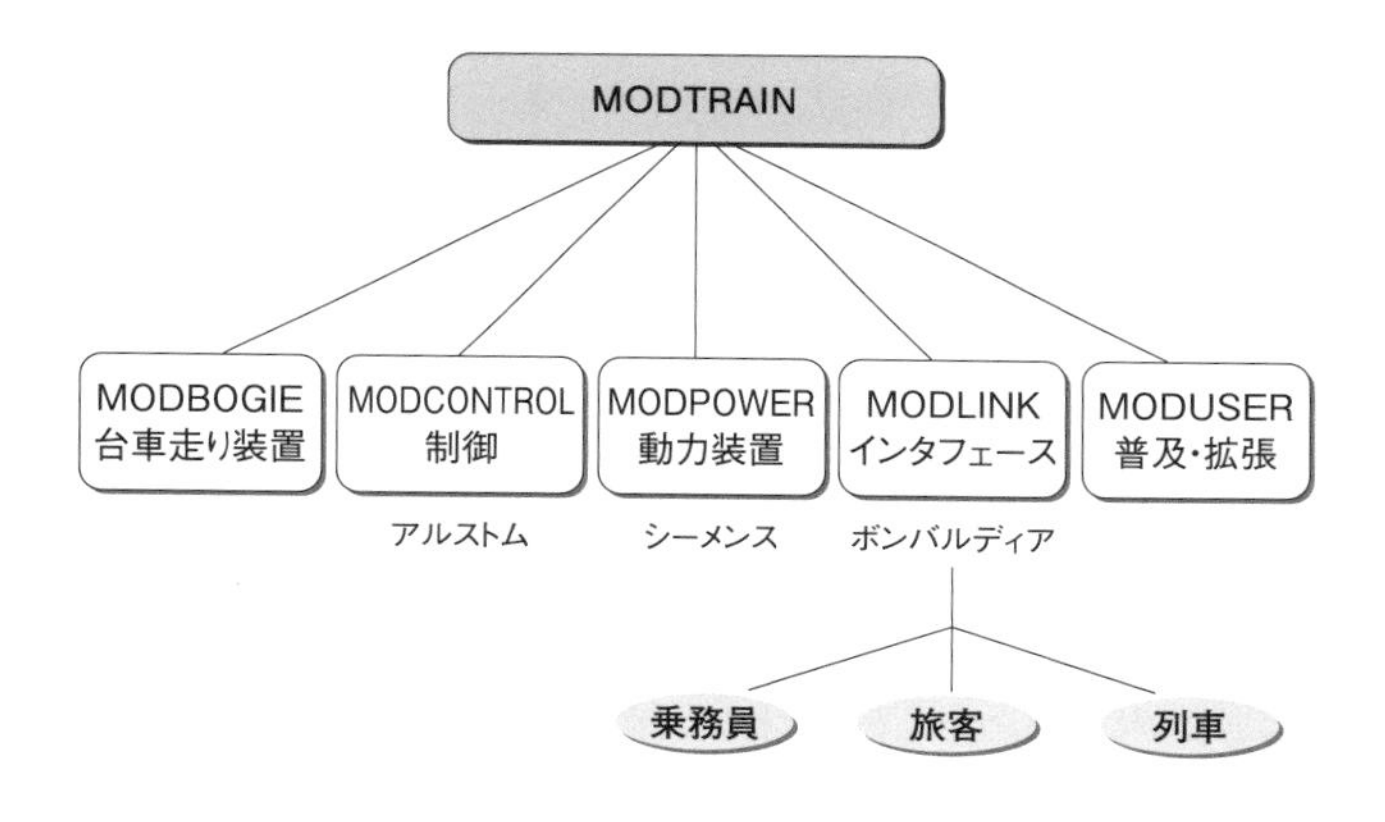

出所：若松（2012）を修正

図表5-2　MODTRAINプロジェクト

化とモジュール化を検討した。このプロジェクトでは図表5-2に示すように、台車や制御、車載動力装置などの対象ごとにそれぞれ幹事会社を決めて、車両システムのモジュール化と標準化を検討した。

例えば、車両のモジュール化検討当時、制御装置の標準化はアルストムが幹事会社を務め、動力装置の標準化はシーメンスが、インタフェースはボンバルディアが幹事会社を務める仕組みになっていた。これらの企業はお互いに車両メーカーであるから、基本的に競合関係にある。だが車両システムの標準化とモジュール化を進めるためには、企業間で合意を形成することが必須であり、そのための協力関係も必要になる。競争一辺倒では、標準化とモジュール化は実現できない。このように、競争する領域と協調する領域を分離しているのが欧州メーカーの特徴と言って良いだろう。

他方、日本の車両メーカーの事情はかなり異なる。日本の鉄道産業では、JRなどの鉄道事業者の力が伝統的に非常に強く、日立など車両メーカーはJR各社が独自に要求する車両特性に合致した製品を作ってきた。JR東日本、JR東海、JR西日本などJR各社では、新幹線車両に要求する製品仕様が異なるために、車両メーカーがそれに応えようとすれば特注化した車両を作ることになる。特注化の範囲は車体の外観だけではなくて、素材やモーターなど外部からは見えない内部の細部にまで及ぶ。

また、民営化以前の国鉄時代からの慣行で、JRは車両を複数のサブシステムに分けて、各社の得意分野に応じて複数社に分割発注する。この分割発注という伝統的な仕事の進め方は、各企業の強みを持ち寄ることができるという意味でメリットがあるが、一方でサブシステム間に隙間や重複が生じやすくなるというデメリットもある。

隙間や重複の問題を解決するには、三社間の利害調整がどうしても必要になるのだが、それぞれの企業は競合関係にあるために利害調整は容易ではない。結果としてそれらの調整は最終的にJRによって担われてきたのである。日本の高速鉄道事業の中心には常にJRがおり、ＪＲは単なる発注者ではなくてシステム・インテグレーターとしての役割をも果たしてきた、と言って良い。ＪＲの厳しい高度な要求に応えるために、各車両メーカーは切磋琢磨してきたのである。かつて筆者がインタビューした車両メーカーの幹部は「ＪＲさんに鍛えられた」という言葉を使ってこのような状況を表現した。

このように日本の車両メーカーは、ＪＲ各社の個別要求に合致した完成度が高い製品を作り上げてきた。その結果、国内市場向け高速車両は、標準化からかけ離れた非モジュールのアーキテクチャーにならざるを得ないのである。こうして日本と欧州では同じ高速車両と言いながらも、そのアーキテクチャーは真逆の方向を向いている。

５・２　日本の垂直統合的な高速鉄道開発システムと海外市場への参入

高度な技術とノウハウの蓄積

そもそもＪＲ各社はなぜ、似通った高速車両であるにもかかわらず、特注化した車体をメーカーに要求するのだろうか。それには国内市場の様々な事情が関係する。

その一つは、高度な正確さが求められる点だ。例えば東京‐新大阪間の平均遅延時間はわずか36秒という正確さで運行されている。日本の高速鉄道は高密度で正確な運行管理を行う必要があり、そのための高度な技術とノウハウが求められる。

さらに、求められる環境耐性も高いものがある。高速鉄道は、日本の国土が直面する厳しい気象条件や地理的条件をクリアしなければならない。地震や台風が多いという厳しい気象条件、そして山岳地帯が多いためにトンネルやカーブが多いという厳しい地理的条件などに耐えうる性能と機能が、国内高速鉄道には求められた。それらの高度な条件を満たした車両を国内メーカーは開発してきたのである。

例えば2013年、JR東海は6年ぶりに新型車両「N700A」を導入した。そこでは、カーブが多いという日本の地理的条件に合わせて、「車体傾斜システムの導入と横揺れの吸収」機能を導入した。この機能は、車体傾斜システムを適用するカーブを増やすと同時に、様々な揺れや振動をバランス良く吸収して、乗客が不快感を覚えやすい揺れを抑えるというものだ。つまりどのようなカーブに突入しても、できるだけ不快感を乗客に与えないようにするための機能である。まさにカーブが多いという日本の地理的条件に配慮した機能だと言

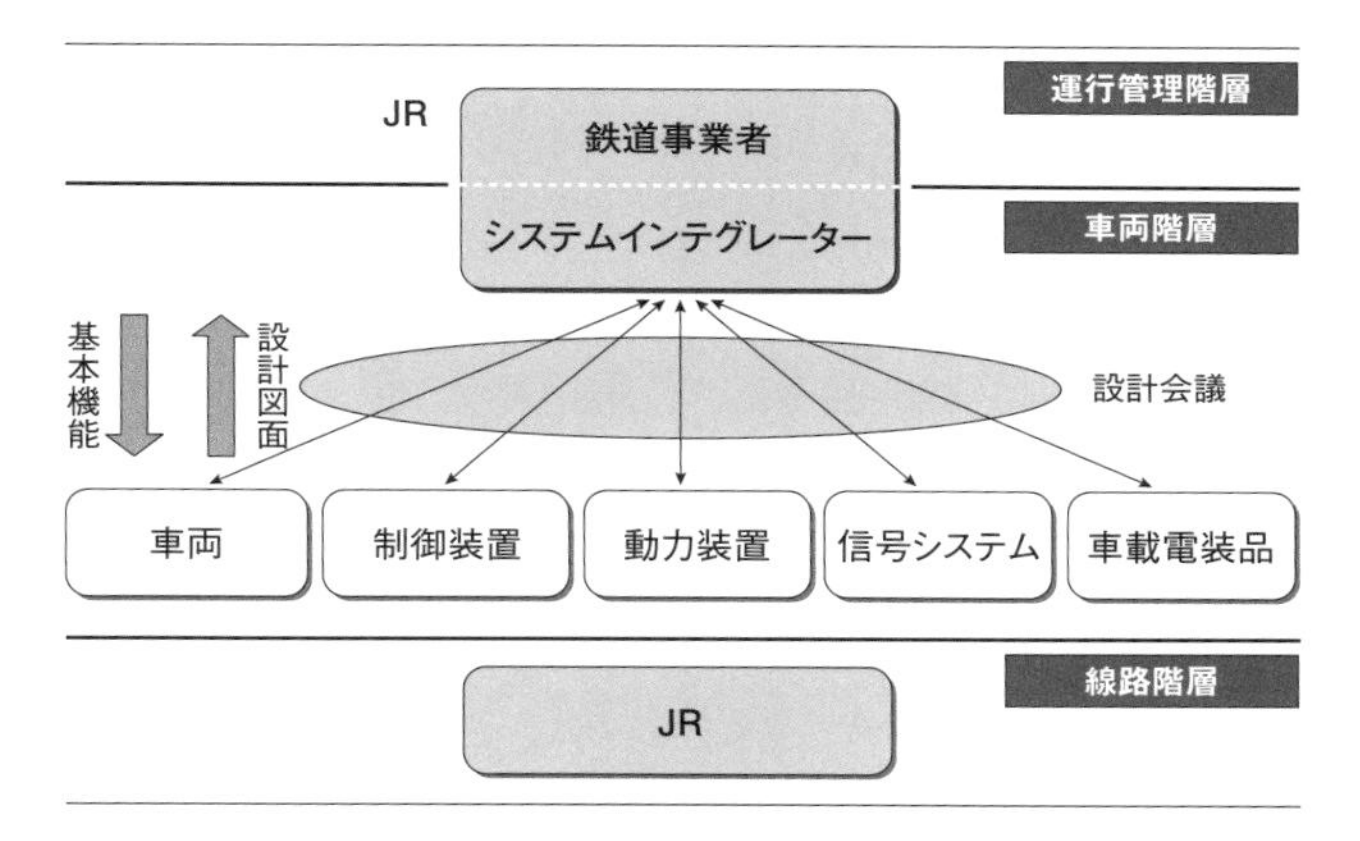

出所：著者作成

図表5-3　JRを頂点にした垂直統合的開発

えるだろう。

高度できめ細かな国内需要、そして厳しい気象条件や地理的条件等をクリアすることを可能にしたのが、日本独自の垂直統合的な新幹線開発システムであった。この特徴を一言で言うと、JRを頂点とした垂直統合的な開発の仕組みと、国内需要に最適化された車体設計思想ということになるだろう。

図表5-3に示すように、JR各社が産業ヒエラルキーの頂点に位置し、日立や川崎重工など車体メーカーとJRとの間で緊密な連携と調整を繰り返しながら、JR各社の高度な要求に応えてゆくという垂直統合的な開発スタイルである。ここでJRは単なる鉄道を運行する事業者のみならず、制御装置や動力

装置等の鉄道部品を統合してまとめあげるシステムインテグレーターの役割も果たす。この仕組みによって、高度な国内需要や過酷な気象・地理的条件等の難題をクリアしていった。

台湾への新幹線輸出

新幹線の海外輸出に際しても、成功してきた国内の垂直統合モデルをそのまま現地に持ち込もうとする動機が働くのは自然なことかもしれない。だがこのことを逆に言えば、仮に海外にその垂直統合的な仕組みを移転できなければ、現地で機能不全に陥るリスクが存在するということを意味する。

台湾への新幹線輸出に際しての一連の騒動は、まさにこのケースに他ならないであろう。台湾への新幹線輸出は海外輸出の成功例として紹介されることが多いが、話はそう単純ではなかったのである。国内ではＪＲが圧倒的な力を持ったリーダーとして、新幹線建設を推進してきたことは既に述べた通りだ。だが２０００年代前半の台湾への新幹線輸出プロジェクトでは、様々な事情があり当初ＪＲは関与しなかった。

その結果一体何が起こったのか。ＪＲが欠けたリーダー不在のプロジェクトは、台湾当局から「烏合の衆」と酷評されるほど、まとまりに欠けたものだった。ＪＲのリーダーシップにすっかり慣れ切ってしまっていた国内の車両メーカーは、ＪＲなしではプロジェクトとして機能しなかったのである。その後、さすがにＪＲが関与することになったが、今度は別の問題が生じた。ＪＲは国内の新幹線仕様をそのまま台湾に輸出しようとしたために、独自ニーズを持つ台湾当局と大きな軋轢が生じたのである。現地には独自の需要と事情があり、いくら日本の新幹線が優れているとは言え、その技術仕様をそのまま現地に適用することは軋轢の原因になりかねないということだ。

これは台湾以外に輸出しようとする時も同様である。さらに英国への輸出例を見てみよう。

英国高速鉄道市場の特性と日立の参入過程[*1]

１８２５年、英国で世界初の蒸気機関車の営業が開始された。それにちなんで、英国は鉄道発祥の地と称されることが多い。その英国で２０００年以降、日立製作所は鉄道市場への参入に向けた取り組みを始めた。参入初期の幾つかの失敗を経て、２００５年以降日立は大きな案件の受注に相次いで成功し、その快挙は日本でも大きく報道された。高速鉄道産業の仕組みが大きく異なる英国市場へ日立はいかにして参入したのだろうか。

まず、日本とは大きく異なる英国の鉄道産業の特性と構造を概説する。1993年に英国国鉄は分割民営化された。その際、1991年に策定された欧州指令（EU Directive）に従って、上下分離とオープンアクセスの二つの方針のもとで分割民営化が行われたのである。上下分離とは、運行サービスを提供する鉄道事業者とインフラとしての線路管理者を分離するという考え方である。オープンアクセスとは、インフラとしての線路へのアクセスを自由に誰でも参入できるようにするという考え方だ。

その結果、図表5-4に示すようにインフラとしての線路はネットワークレイル社（Network Rail 社）が英国全土を一括して管理し、一方で列車の運行は、複数の列車運行会社（TOC、Train Operating Companies）が路線別に運行管理を行うという形態になったのである。

そして車両は三つの銀行系リース会社が保有し、それを列車運行会社にリースし、運行会社は列車リース料を払う。同時に列車運行会社は、線路を管理しているネットワークレイル社にアクセスチャージ料（路線使用料）を払って列車を運行するのである。

日本も国鉄が分割民営化されたのだが、日本は上下一体のまま地域別に分割され、運行管

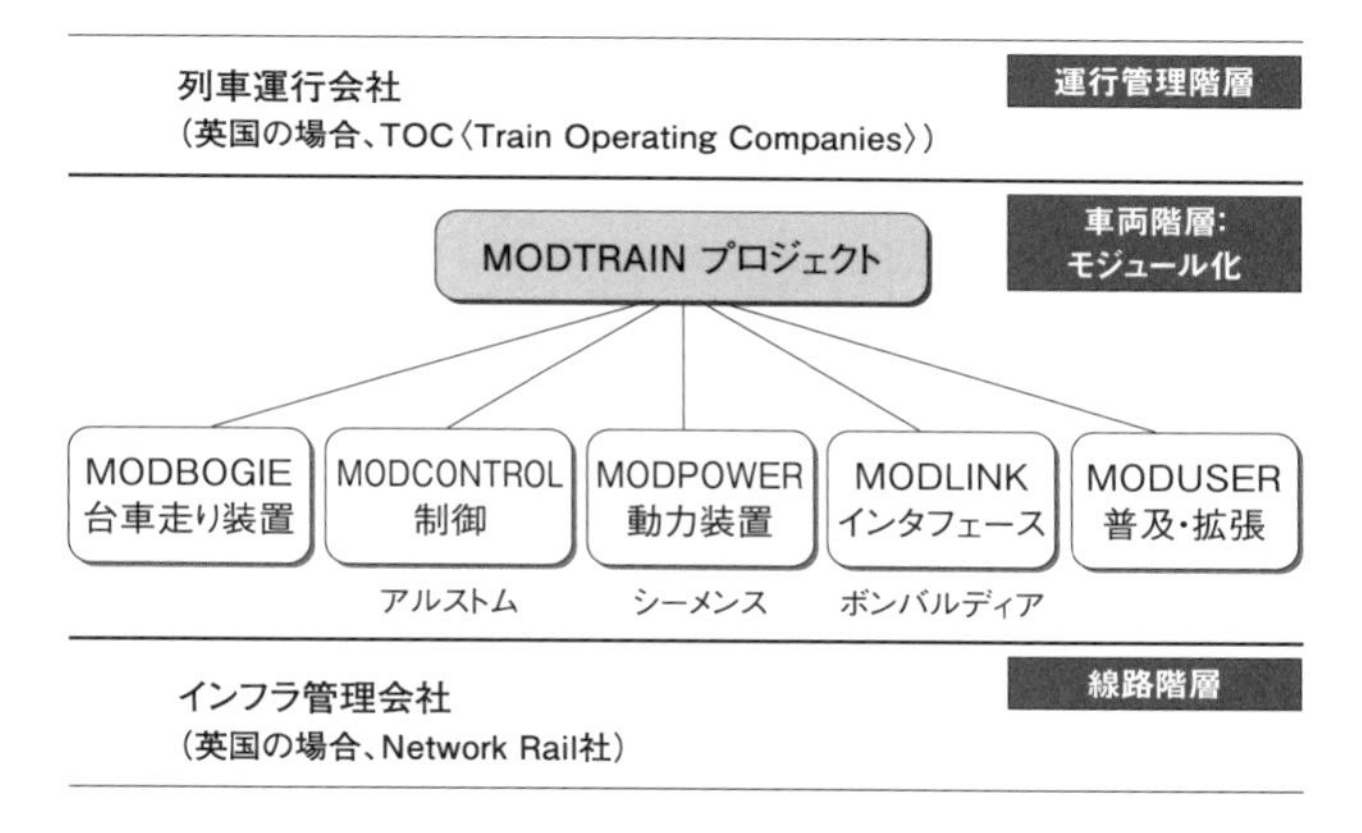

出所：著者作成

図表５-４　欧州の高速鉄道産業システム

理と線路管理は同じ会社が行っている。ＪＲ東日本、ＪＲ東海、ＪＲ西日本など、地域ごとに上下一体システムとして分割された。ＪＲ各社が線路管理と運行管理の両方を行っているのだ。つまり、国鉄が民営化されたという点では日本と英国は同じだが、分割方法が大きく違うのである。

　では、上下分離型と上下一体型では、一体どちらが良いのだろうか。国や地域によって重視する観点や歴史的経緯が違うために様々な議論がある。英国同様、他の欧米諸国もまた上下分離方式を採用しており、運行管理と線路管理を分離している。例えば米国のアムトラックは列車を運行管理している会社であり、線路を管理しているわけではない。線路管理は別会社がやっているのだ。一方で、アジア諸国は日本同様に上下一体型が多い。

少し余談になる。日本でも地方鉄道再生のために「上下分離方式」の長所を重視する動きが広がり始めた。２０１４年施行の「改正地域公共交通活性化・再生法」によって、自治体が車両や線路を保有し、事業者は運行に専念する形態が認められた。

例えば京都府と兵庫県北部を走る北近畿タンゴ鉄道（ＫＴＲ）は、２０１５年４月に上下分離を行った。上部に相当する鉄道運行事業は他社に委託され「京都丹後鉄道」の名称で運行されている。他方で北近畿タンゴ鉄道は下部に相当する施設管理のみを引き継いだ。経営コストの効率化を図るという観点からは、運行管理と線路管理に特化して分業する上下分離方式の合理性が高いという判断なのであろう。確かに上下分離方式は分業のメリットを引き出すことができる。一方で、鉄道が人命を預かるものである以上、安全性の観点は不可欠である。これはまさに、鉄道システムをどこで分離するのかというアーキテクチャーの問題に他ならないのである。

日立の英国への参入に話を戻そう。日本の国鉄民営化は成功例と評されることが多い。一方で英国では、分割民営化後、重大事故が多発したために「民営化の失敗例」と言われた。車両を保有する銀行系リース会社は、老朽車両の置き換えに意欲を持たないために、車両への慢性的な投資不足が起こりそれが重大事故の原因であると指摘された。そのような中で英国運輸省は、日本の鉄道の高い信頼性と安全性に関心を持ち、日本側にアプローチしてきたのである。日立の英国鉄道産業への参入は、そのような背景のもとで始まった。

日本と英国の安全思想の違い

その後の日立の参入経緯は二つのフェーズに分けて考えることができる。

２００５年にクラス３９５と呼ばれる高速車両１７４両の製造と保守の受注に成功したのが第１フェーズである。これは、ロンドンとドーバー海峡トンネルの入り口手前にあるアッシュフォードを結ぶ全長約１００キロの高速鉄道（CTRL Channel Tunnel Rail Link）である。

これは当初の運行予定よりも6か月も早い２００９年6月に運行を開始した。納期の遅延が常態化している英国で、納期の順守どころかむしろ先行営業を実現したのであるから大きな話題となった。また、２００９年と２０１０年の記録的な大雪の中で、大部分の列車が運休した中で、クラス３９５は運行を継続できたために、その信頼性は高い評価を得た。

その後の第2フェーズでは、２０１２年7月には主要幹線向け車両５９６両の製造と27年間にわたる保守事業の一括受注に成功した。これは都市間高速鉄道計画（ＩＥＰ：Intercity Express Programme）と呼ばれ、ロンドンから西部へ延びるウェスタン・メイン・ライン（約３００キロ）と北東部に向かうイースト・コースト・メイン・ラインを走る老朽車両を置き換えるものであった。ＩＥＰプロジェクトがクラス３９５のプロジェクトと大きく違うのは、日立はファイナンスにまで深くかかわったという点にある。

ＩＥＰプロジェクトで日立は、アジリティ・トレインズという名称のリース会社機能を果たす特別目的会社を設立した。日立は、特別目的会社の筆頭株主としてリース業を行い、車両を供給し、保守事業も行った。さらに特別目的会社のプロジェクトファイナンスも日立自身が中心になって行ったのである。このような形態がとられた背景には、銀行系リース会社は車両更新の意欲が低いために、英国政府がＰＰＰ（パブリック・プライベート・パートナーシップ）の形態を採用したことがあった。

英国市場への参入に際しての必須要件は、日本と欧州の間には安全思想と安全基準に違いがあったために、欧州基準へ適合させるという点である。安全思想と安全基準の違いは車体構造にまで影響を及ぼした。日本国内向けに開発された高速車両の完成度がいくら高いとは

知は、現場にある。

光文社新書

言え、その車体構造をそのまま英国に持ち込むことはできず、英国用に調整しなければならなかったのだ。

例えば日本の新幹線は専用線を敷き、しかもＡＴＣ（自動列車制御装置）等の信号システムで安全を担保しているため、車両同士の正面衝突リスクは考慮していない。そのために車両は軽量で車両にかかる圧縮荷重も少ない構造を採用している。

他方、欧州の鉄道は在来線を活用して高速線を建設したため、車両同士の正面衝突もあり得る前提で車両構造を設計している。万が一衝突した際でも、いかにして人命を守れるのかを重要視しているのだ。このような安全思想の違いは、事故後の安全を重視する欧州に対して、事故を未然に防ぐための予防的観点を重視する日本という対比で、解釈することもできるだろう。

重要な点は、このような安全思想が抽象的なレベルではなくて順守すべき具体的ルールとして、欧州のＴＳＩ規格（Technical specification for interoperability, インターオペラビリティの欧州技術仕様）に規定されていることである。例えばＴＳＩ規格では四つの衝突シナリオが想定されており、それぞれのシナリオについて対処方法が規定されている。

例えばその一つは時速40キロメートルの車両同士で正面衝突した場合だ。この場合、運転士と乗客の命は守られるように、先頭部、車両間に衝突吸収装置の設置が義務付けられている。

こうした規格順守の結果、欧州の車両にかかる圧縮荷重は大きくて、丈夫な構造になっており、日本より約15％程度重くなっている。日本に比べて厳しい衝突耐性が要求されるからである。

日立が直面した課題

繰り返しになるが高速鉄道の運行には、線路、車両、そして運行管理という三つの機能階層が必要である。日立が参入する以前に、この三つの機能階層のうち、線路と運行管理の二つの機能を英国は既に有していた。線路は在来線を活用し、列車の運行を行う複数の運行会社が既に存在していたからだ。従って日立の英国鉄道事業への参入とは、既存の線路機能と運行管理機能の間に挟まれている車両のみを、老朽車両から新型車両へ置き換えるということを意味する。これは第1フェーズのクラス395であれ、第2フェーズのＩＥＰであれ同じだ。

既に存在している線路階層と運行管理階層の間で、車両のみを置き換えるのだが、日立は二つの課題に直面した。

第一の課題は既に述べたことだが、欧州規格に準拠させなければならないという課題である。そのために欧州規格に合致したブレーキや、車輪、信号などの部品を採用しなければならなかった。特に、欧州域内の直通運転のために信号インフラを欧州全域で共通化することを目指しているために、信号システムをそれに合わせなければならなかった。だが日本メーカーは欧州規格に準拠した部品を作っていないために、欧州サプライヤーの部品を使わざるを得なかった。欧州サプライヤーの部品を使いながら、どのようにして日本水準の品質を維持してゆくのかが重要な課題となったのである。この課題解決のために、日立は欧州サプライヤーに対して技術指導を行った。

第二に、不具合が生じた時に、問題箇所の特定が難航するという課題である。例えば時刻ダイヤ通りに運転できなかった場合、その原因は運転士にあるのか、車両の不具合なのか、あるいは地上の運行管理サイドにあるのか、大きく分けて機能階層ごとに三つの可能性が存在する。

だが英国の場合、三つの機能階層それぞれを独自の経営主体が管理しているために、起因する箇所を特定することは容易ではない。さらに二つの機能階層のインタフェースに起因する場合、問題はより一層複雑になり、解決のための調整コストは膨大なものになる。これが日本のように、ＪＲが三つの機能階層すべてを一括して把握し管理しているのであれば、問題箇所を特定するための調整コストは少なくて済むだろう。これはまさに、鉄道産業のアーキテクチャーに関わる問題に他ならないのである。

ここで改めて、アーキテクチャーの観点から物事を見ることの意味を、高速鉄道産業を例にとって確認しておこう。

仏アルストムや独シーメンス等欧州勢の提供する高速車両は、営業最高時速３２０キロを実現しており、日本の新幹線と比べて性能面では大きな差はない。とは言え、もちろん違うところも存在する。国土や気候条件などの違いが、安全思想や安全規格の違いとなって表面化している。これらは外から認識できる共通点であり相違点だ。スピードや安全規格は数字や文字として表現できるし、乗客はその速さや快適さを直接実感できる。

だが産業アーキテクチャーの違いや車両アーキテクチャーの違いは、外から見えにくいために対応が厄介だ。既に見たように、日本と欧州ではこれらのアーキテクチャーが違うのだが、乗客がこれらを直接意識することはまったくないはずだ。

その違いの意味が見えてくるのは、例えば異なるアーキテクチャーを持つ海外市場に参入しようとする時だろう。台湾へ新幹線を輸出する時、そして日立が英国市場に参入する時、それらの違いが、克服しなければならない大きな課題として、目の前に初めて台頭してきたのである。日本政府が旗を振る高速鉄道インフラ輸出を進めるような時に際しては、アーキテクチャーの違いに注意を払うことが重要になるということを意味する。

つまりアーキテクチャーとは、顧客がその価値と意味を直接実感することが難しいけれども、価値を生み出すシステムを根底で支えているものなのである。

＊1　英国高速鉄道の状況と日立の参入過程については、雑誌、書籍、WEBでの情報に加えて、2015年2月13日鈴木學氏（当時　日立製作所交通システム社　技監）による商工会館での講演、その後の鈴木氏へのインタビューと電子メールでの交信に基づいて作成した。ここに記して感謝申し上げる。

第6章

二兎を追う経営——ダイキン工業のモジュール戦略

経営は常に二律背反問題に直面する。創造性を重視すると効率が犠牲になり、効率を重視すると創造性が損なわれるといった具合だ。この種の課題に満ちているのが経営判断の現場と言っても過言ではないだろう。国際経営論の文脈で「グローバル統合とローカル適応のジレンマ」と言われる課題は、この種の典型的な二律背反問題であり、多国籍企業がグローバル戦略を推進するに際して必ず直面すると言っても良い根本課題の一つである。

従来日本企業は、世界中の各地域独自の細かなニーズにまで応えるきめの細やかな製品開発を得意としてきた。しかし、台頭する新興国市場の多種多様な要望に対して、このやり方で応えようとすると製品バリエーションが増えすぎて収拾がつかなくなってきた。コストアップにもつながる。皮肉なことだが、グローバル化に積極的に取り組み成功すればするほど、これが一層深刻な問題として日本の多国籍企業を悩ませるようになる。

ではどうすればいいのか。日本企業の秀逸な現場の力に依存するだけでは、もはや限界が見えてきたと言うべきだろう。そこで設計の考え方という根本次元にまで立ち戻る必要があるのではないか。設計思想を見直し、モジュール戦略へ転換を図ることだ。ここで改めて確認しておくと、モジュール戦略とはアーキテクチャー戦略の中で最も設計合理性が高い上位戦略であるため、それを活用すれば、統合と適応の二兎を追うことができるのである。

本章は、国際経営とモジュール戦略の要諦を改めて整理したうえで、グローバル化の顕著な成功例として高く評価されることが多い空調最大手のダイキン工業を事例に取り上げて、製品開発戦略をどのように進化させていったのかを紹介する。グローバル化の成功の背後には、モジュール戦略への転換があったことが明らかになる。

既に見たように、日本を代表するトヨタ自動車であっても、この二律背反問題に悩まされ、その解決のために、TNGAという新たな製品開発戦略に転換したのである。本章で取り上げるダイキン工業とトヨタ自動車を改めて振り返ると、両社がグローバル化の推進過程で直面した経営課題、そして解決のために取った方策など、極めて似通っている点が多いことに気が付くはずだ。もちろん業種も企業も違うのだから細部は違う。しかし業種を超えて通底する根本課題、根本原理は同じなのだということに気づく。

6・1　統合と適応のジレンマという根本問題

グローバル統合とローカル適応

国境を超えてグローバルに事業展開する多国籍企業にとっての根本問題は、グローバル統合（Global Integration）とローカル適応（Local Responsiveness）のジレンマにかかわる問題である。この問題は、ミシガン大学のC・K・プラハラードらが、図6‐1に示すI‐Rフレームワークによって概念化した。このフレームワークでは、グローバル統合の度合いを縦軸に、ローカル適応の度合いを横軸に取り、自社の狙う立ち位置をマッピングする。

グローバル統合とは自社の製品やサービスをできるだけ共通化・標準化して、全世界に供給しようとする考え方であり、それによって企業はコストを削減し事業の効率化を図ることができる。しかし現実には、世界中のそれぞれの市場は、独自のニーズ、政府規制、生活様式などを有しているのであり、まったく同一の製品やサービスでそれら固有のニーズを満たすことは不可能である。他方で各地域固有のニーズに応える方向性を重視するのがローカル

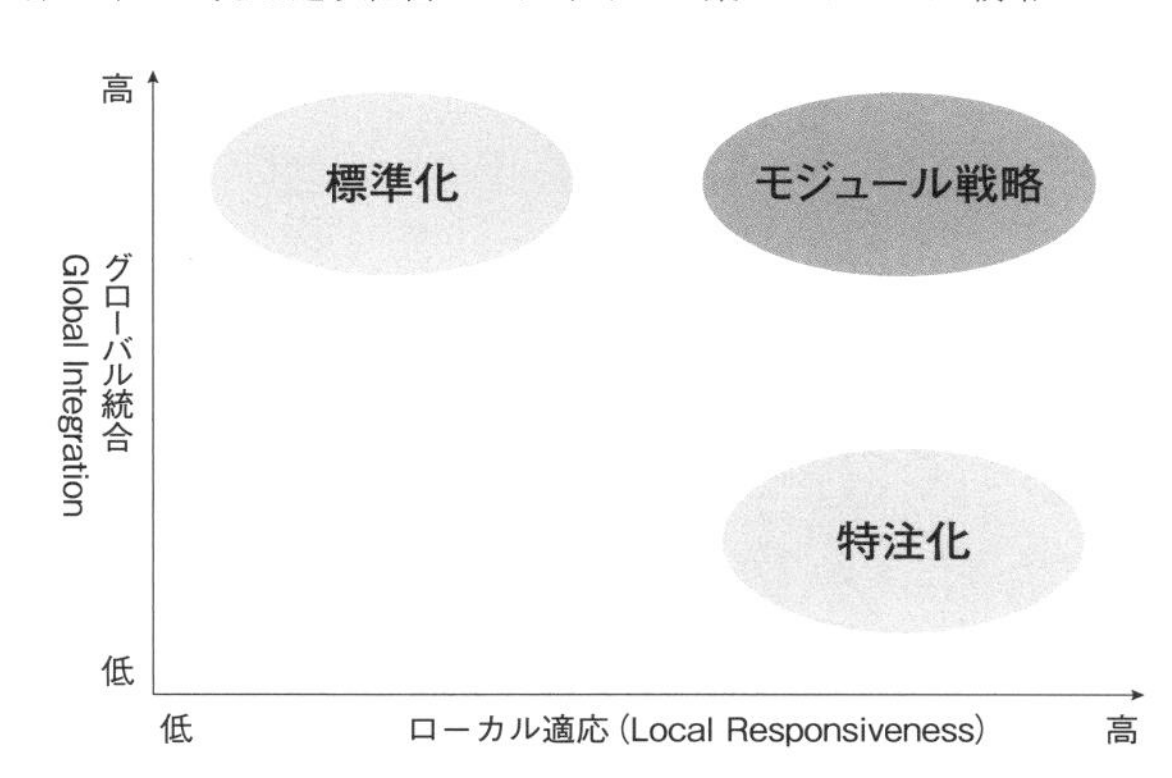

出所：Prahalad and Doz (1987) を一部修正

図表6-1　I-R (Integration-Responsiveness) フレームワーク

適応であり、必然的に特注化による製品バリエーションが増える方向に向かう。

国境を超えて事業を展開する多国籍企業は、グローバル統合とローカル適応のどこかに自社の戦略を位置づけることが必要になるのだが、悩ましいのは、統合軸と適応軸は、逆向きのベクトルであるために両立が困難だという点にある。統合軸を強めると標準化により現地適応度は弱くなるし、逆に現地適応度を強めようとすれば特注化が促進され、コスト競争力は劣化するであろう。

つまり理論的に二律背反の関係になっている統合と適応の狭間で、企業は自社の位置取りを決めなければならないという難しい舵取りを要求されることになる。これが統合と適応のジレンマと言われる経営課題である。ではこのジレンマを解決するにはどうしたらいいのか。そのためには、モジュール戦略が一定の有効性を持つのである。

二兎を狙うモジュール戦略

モジュール戦略は戦略的柔軟性を持ち、コスト競争力や開発スピードなど多くのメリットを持つことを既に紹介した。

ここで改めて整理すると、モジュール戦略とはシステムとしての製品を独立性の高いモジュール群に切り分けて、モジュール間のつなぎ方であるインタフェースをルール化し、各モジュールの柔軟な組み合わせで顧客ニーズに応えようとする設計思想である。どういうモジュール群に切り分けるのか、そして切り分けたものをどういうインタフェース仕様でつなぐのかを決めることを、デザイン・ルールの策定と言う。良いデザイン・ルールを策定できるかどうかが、モジュール戦略の肝と言って良い。実際のところ、モジュール戦略の理論的メリットを、どの程度享受できるかは、デザイン・ルールの良し悪しにかかっている。例えばコスト削減がどの程度実現できるかは、デザイン・ルールの実装の良し悪しに大きく依存する。

　このモジュール戦略を活用すると、統合と適応のジレンマをかなりの程度解決する道筋が見えてくるが、その概要は次のようになる。

　製品は、いかなる市場でも共通して使える共通基盤部品群と、市場ニーズへの独自対応が必要になる可変部品群の二つに大別できるために、それらを決められたインタフェースで連結して製品を作り上げるという考え方だ。いかなる市場であっても、必ず求められる機能や性能というものがあるはずであり、それを共通基盤部品として括りだすのである。すべての市場で通用する共通基盤部品を括りだすことはグローバル統合度を高める効果を持ち、それだけで対応できないローカル適応へは可変部品群が担うという発想である。

　だが、どこまでを共通基盤部品として括りだし、どこから先を可変部品とすれば最適なのかという判断は自明ではなく、その判断こそがまさにデザイン・ルールを決めることに他ならない。共通基盤部品を広く取りすぎるとバリエーションの多様性が失われ、地域の独自ニーズに対応できなくなってしまう。つまりローカル適応軸が弱くなりすぎてしまう。

　一方、共通にする範囲を狭く取りすぎると、規模の経済効果を十分に享受できずに効率が劣りコスト競争力につながらない。今度はグローバル統合軸が弱くなりすぎてしまうのだ。

多様な市場要求への対応とコスト競争力の両立、つまりローカル適応とグローバル統合の両立を図るためには、どこまでを共通基盤化すればいいのかというデザイン・ルールに関する難しい問題を解くことが必要になる。

しかし、製品ライフサイクルの進展に応じて次第に産業が成熟化すると、技術体系に関する知識も精緻なものになり予見可能性も高まり、当該製品をモジュール化するための良いデザイン・ルールが見出しやすくなる。そして良いデザイン・ルールができると、モジュール戦略であっても、顧客にとっての価値ある差別化を実現できるようになる。

逆に、成熟段階であるにもかかわらずモジュール戦略を採用しなければ、製品バリエーションが増えすぎて、トヨタの技術者が指摘したように価値を生まない「無駄な差別化」に陥ってしまいがちだ。要するに産業が次第に成熟化すると、モジュール戦略を実装しやすくなり、そのメリットが実装コストよりも大きくなってゆく。トヨタやダイキン工業の一連の動きは、そのような背景のもとで理解できるだろう。

6・2　ダイキン工業のグローバル化の軌跡[*1]
――目覚ましいグローバル化の成功

空調機の売上高世界一

大阪に本社を置くダイキン工業株式会社（以下ダイキンと称する）は、空調機で売上高世界一を誇る大企業である。2019年度の連結売上高は2兆3091億円、連結経常利益は2690億円に達し、連結従業員数は8万人近くにも及ぶ。ダイキンの事業ドメインは、空調・冷凍機事業、油・特機事業、化学事業の三つの事業から構成されているが、売上の9割は空調・冷凍機事業から来ている。その意味では、売上2兆5千億円に達する大企業でありながらも、空調機の専門メーカーだと言って良い。

この成長過程では、空調機関係のM&Aも積極的に活用した。グローバル展開に経営の舵を切った1990年代後半、ドイツやスペイン、イタリア等の欧州各地の販売代理店を買収して子会社化したのが、その端緒である。さらに大型案件として、2007年には、マレー

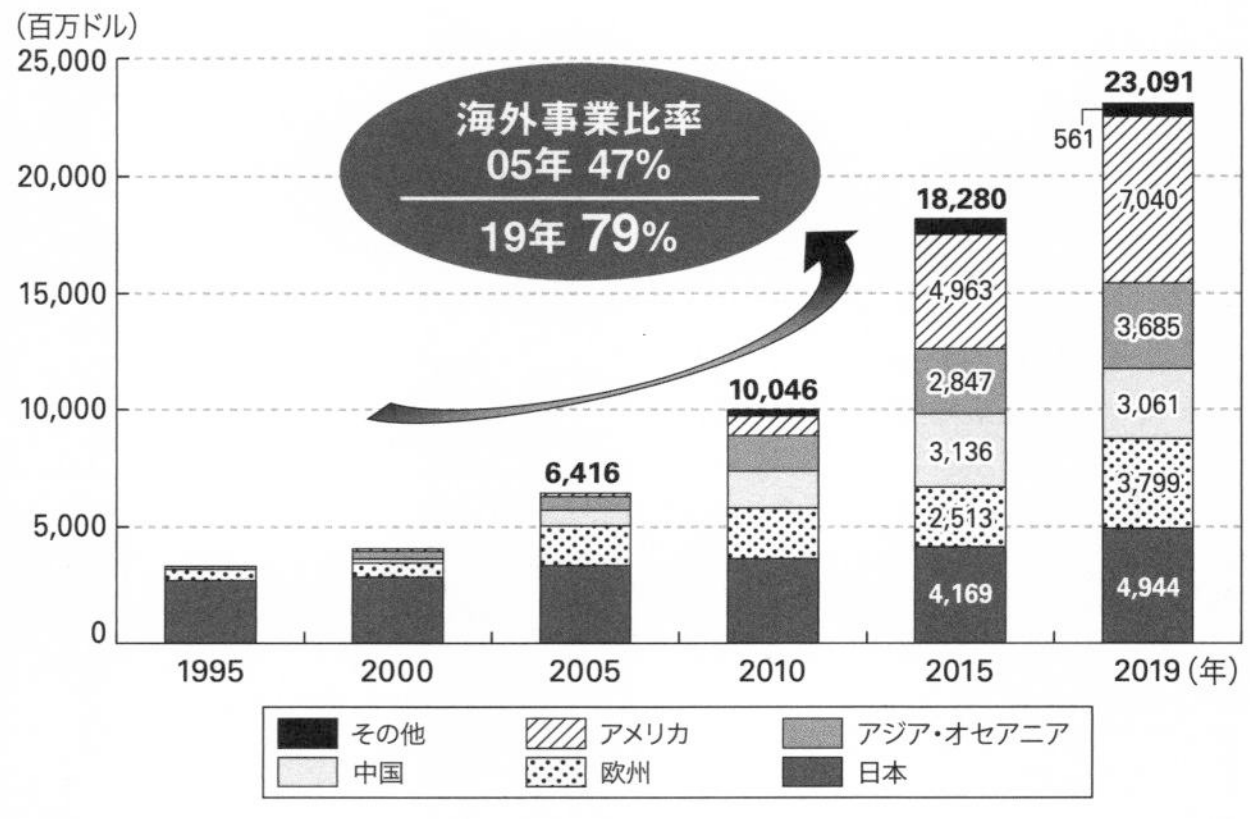

出所：ダイキン工業

図表６-２　空調事業の地域別売上比率の推移

シアの空調大手ＯＹＬインダストリーズを、そして２０１３年には米国の空調大手グッドマンをそれぞれ買収した。買収した時点で、連結売上高がその分増加するのは当然だが、ダイキンの特筆すべき点は、その後も継続的に成長を遂げているという点だ。その結果、２０００年時点では５３１９億円だった売上高が、２０１９年には約４倍にまで成長したのである。

その急速な成長をもたらしたものは、一言で言うとグローバル化の成功である。例えば空調事業に関して言うと、95年には16％だった海外事業の売上高比率は、２０１９年にはなんと79％に達している。空調機の約８割は海外市場で稼いでいるということだ。特定地域への極端な依存が見られないのも、ダイキンのグローバル戦略の優れた点であろう。日本、欧州、中国、アジア・オセアニア、米国の５地域で、それぞれ３０００億円程度の売上を上げ、バランスの良い地域構成となっている。アフリカを除く地球上のすべての市場に満遍なく進出し成果を上げているのだ。つまり特定地域の不振を、他地域でカバーできるような体制になっているのである。

だが、１９９０年代前半までのダイキンは、国内市場に大きく依存しており、海外市場はほとんど未開拓だったのである。そのうえ、日本国内でも家庭用ルームエアコンではシェア下位に甘んじる企業だった。そのダイキンはいかにしてグローバル戦略で目覚ましい成果を上げるに至ったのだろうか。

「落下傘型の多角化」から「コア事業周辺領域での多角化」へ

後に中興の祖と言われる井上礼之（のりゆき）（以下、井上と称する）が社長に就任したのは１９９４年だが、まさにその年、ダイキンは17年ぶりに経常利益が赤字になった。

就任直後の井上は、不採算事業から撤退して本業の空調事業に回帰し、そこに経営資源を集中して積極的なグローバル展開に舵を切るという方針を打ち出した。空調事業は天候に左右されやすく不安定であるという理由や、国内の空調機市場は既に成熟化しているという理由から、これまでダイキンも事業の多角化を進めていた。だがその多角化は、主力事業との相乗効果などを考慮しないいわゆる「落下傘型の多角化」だった。例えばロボット、電子機器、医療機器など、主力の空調事業とは技術的にも市場的にも関係ない事業にまで活動を広げていた。これらの事業をこのまま継続しても収益に貢献する見通しはなかったのである。

そこで井上は就任直後の95年に、82年から参入していたが依然として最大の赤字事業だったロボット事業から撤退した。続いて、床暖房、電子機器、医療機器などからも次々に撤退した。

なぜダイキンの多角化は成功しなかったのか。

それに関して井上は、当時を振り返り「優秀な技術者がいることと事業の採算性は必ずしも一致しないのだと痛感しました」(『人の力を信じて世界へ』井上礼之)と語っている。要するに、ダイキンの多角化が成功しなかった根本原因は、技術ではなくて経営の問題だったという認識を井上は持っていた。中でも、どの事業に参入するかという事業選択の良し悪しの影響が大きいだろう。

その反省を踏まえて、バブル期までに行った「落下傘型の多角化」から、「コア事業周辺領域での多角化」へと方針を変え、ダイキンの強さと良さを生かせるような多角化戦略へ舵を切った。それが現在の冷凍機事業であり、化学事業である。そして同時に、コア事業である空調事業へ資源を集中させると同時に、グローバル展開を積極的に推し進めた。近年のダイキンの急速な成長は、この本業回帰とグローバル戦略の成功によってもたらされたのである。

ダイキンは井上の主導のもとで、96年から「ＦＵＳＩＯＮ」（フュージョン）と呼ばれる5年ごとの戦略経営計画を始めた。これは現状認識のもとに、今後の5年で達成を目指したいグループ全体の戦略を明文化したものである。「ＦＵＳＩＯＮ21」（１９９６年度～２０００年度）から始まった戦略経営は、その後も継続されて「ＦＵＳＩＯＮ05」（２００１年度～２００５年度）、「ＦＵＳＩＯＮ10」（２００６年度～２０１０年度）、「ＦＵＳＩＯＮ15」（２０１１年度～２０１５年度）、そして「ＦＵＳＩＯＮ20」（２０１６年度～２０２０年度）と今日に至るまで続いている。

その大きな柱の一つは空調事業のグローバル展開だが、95年にはわずか16％だった空調機の海外売上比率は、２０１０年には64％に達した。このようなグローバル化の過程で積極的に進めてきたのが、製造拠点の最寄り化という生産戦略である。最寄り化戦略とは、海外の生産拠点を輸出基地にするのではなく、現地生産・現地販売を原則とする戦略を指す。文字通り、東南アジアで売るものは東南アジアで作り、欧州で売るものは欧州で作るという戦略である。

この最寄り化生産によって、為替変動のリスクや需要変動時の在庫リスクなどを抑えることができる。さらに、生産から販売のリードタイムを短縮できる。この最寄り化戦略に基づいて、欧州へ圧縮機を安定供給するために、２００４年からチェコで生産を始めた。そして19年には世界28か国85か所以上に生産拠点を構築するに至っている。このように生産拠点の現地化にはかなり早くから取り組んできた。

グローバル化の初期の成功がもたらした閉塞感

では製品開発体制はどうだったのだろうか。従来ダイキンは、空調機の開発を最寄り化ではなくて日本で一極集中的に行ってきた。他方で空調機は、気候、電圧、デザインへの好みなど地域ごとに細かな点で需要が異なるという製品特性を持つ。インドは49度にも達するという高い外気温に対応しなければならないし、中国ではＰＭ２・５対応の関係などで空気の質に関する需要が高い。また、欧州ではスタイリッシュなデザインをした空調機が好まれる。

このような細かな現地ニーズに対応するために、日本一極集中的な開発体制のもとでは、日本で行う開発作業が膨大になっていったのである。現地のニーズを日本に届け、そこで開発を行うというやり方では、所詮、開発資源の制約から開発スピードの限界に直面する。そのうえ、グローバル化が成功すればするほど世界から開発の要請がもたらされ、それに応えるために技術者自身が疲弊してゆくという問題点が顕在化してきた。既に説明したＩ‐Ｒフレームワークに照らし合わせると、ローカル適応軸が強すぎて開発効率が劣化した結果として理解できる。

こうしてグローバル化が加速する２０００年頃には、社内に閉塞感と疲労感が出てきた。次から次へと開発の仕事がもたらされ、世界から押し寄せる開発要請の波に応えることができないという状態だ。確かに当時、増収増益という結果は出ていたのだが、次々と開発課題が発生してゴールが見えない仕事に、社員たちはやるせなさを感じるようになっていったと言う。当時を振り返り、井上は次のように言う。

「毎日の業務に追われ、将来の方向性を見極めることができなくなっていたのです。ここまで急成長してきたが、次のステップに進むには、何か皆が壁にぶちあたっている気がして仕方がありませんでした」

（『人の力を信じて世界へ』井上礼之）

そこで2002年に「技術のダイキン宣言」を出し、空調開発の部隊をプロジェクトチーム制にしてできるだけフラットな組織体制にした。プロジェクトリーダーとグループリーダーが、担当役員に直結するような開発体制にして、彼らがテーマ設定と実行の責任を負うように変更した。組織を見直すことで技術者の士気を高め技術部門を活性化しようとしたのである。その結果一時的に技術部門は活性化したが、急速なグローバル展開に対応するにはそれだけでは十分ではなかった。その後、さらにグローバル化が急展開すると、再び閉塞感が漂い始めたからである。

再び井上の言葉を借りよう。

「グローバル展開がさらに加速すると技術開発部門に様々な要請が殺到しました。04年

〜05年頃になると、やれどもやれども仕事が尽きない状況に陥り、再び閉塞感が漂い始めたのです」

（『人の力を信じて世界へ』井上礼之）

要するに、ダイキンのグローバル戦略が成功すればするほど、海外現地ニーズに対応するための目先の開発案件が増えてゆき、将来の見通しを持てないままに毎日の業務に追われるようになったのである。グローバル戦略の成功ゆえにもたらされた課題だと言って良い。組織体制を見直すだけでは、根本的な解決にならなかったのだ。そこで、ダイキンが取り組んだのが、空調機の設計思想にモジュール化の考えを導入し、より俯瞰的で体系的な開発戦略に転換することである。

設計思想のモジュール化――ベースモデル開発へ

設計思想のモジュール化とは、ダイキンの場合、次のような製品開発の進め方を言う。グローバルに販売する空調機に関しては、まず世界中のニーズをできるだけつかんだうえで、その最大公約数的な機能と性能をベースモデルとして日本で策定し開発するのである。そして、ベースモデルで対応できない海外の独自ニーズに対しては、ベースモデルの一部をアレンジして迅速に提供するというやり方で対応する。

ベースモデルは世界市場を念頭に置いているが、世界の多種多様な需要すべてに対応できているわけではない。ベースモデルで不足している点は、海外現地拠点で行うアレンジ設計（Design for minor change）で、個別の独自ニーズや規制に対応するという仕組みである。基本設計を世界標準にしたうえで、そこからの派生商品を海外現地拠点で開発すると言っても良いだろう。

より具体的には図表6‐3を見てほしい。空調機を構成する主たる要素部品には、例えば、熱交換器、ファン、ファンモーター、圧縮機、冷媒回路などがある。これらの要素部品群は、部品間に密接な相互依存関係が形成されているグループをひとまとまりにして、機能モジュール群に分けることができる。

例えば、風回り機能モジュールや冷媒回路機能モジュールなどがそれに相当する。風回り機能を実現するための三つの主要部品、すなわち、熱交換器とファンとファンモーターとの間には、緊密な相互依存関係が存在している。そのため、例えば高性能な熱交換器に変更す

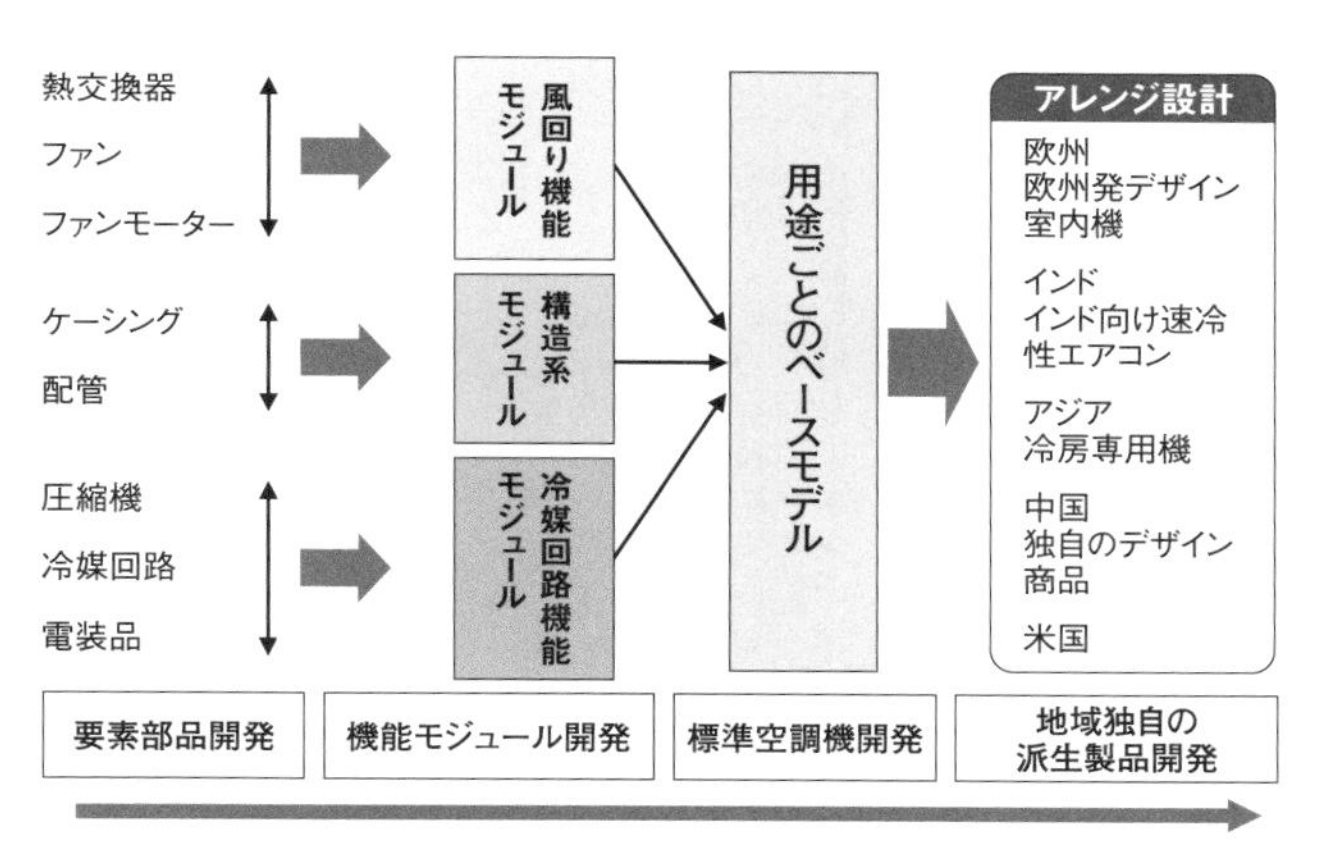

出所：ダイキン工業へのヒアリングをもとに著者作成

図表６-３　空調機のベースモデル開発（2010〜）

ると、その影響はファンやファンモーターにも及ぶために、それらの間ですり合わせを行い、適切な依存関係に変更しなければならない。要するに部品間の緊密な相互依存関係を適切に管理することが求められるのである。こうして風回り機能モジュールには、三つの構成部品間の相互依存関係のパターンによって、性能や機能が異なる複数のバリエーションが存在することになる。

冷媒回路機能モジュールも同様である。構成部品である圧縮機と冷媒回路と電装品には密接な相互依存関係が存在しており、それを適切に管理するために、ひとまとまりにした冷媒回路機能モジュールを作っている。そのモジュールにも、風回り機能モジュール同様、構成部品間の相互依存関係のパターンによって複数のバリエーションが存在する。

そしてベースモデルとは、性能や機能が保証されたこれら機能モジュールのバリエーションを、適宜柔軟に組み替えることにより構成される。多様な組み合わせを柔軟に実現するために、各機能モジュール間のインタフェースを規定しており、それを順守することで、性能や機能が保証された機能モジュールの多様な組み合わせが容易に可能になるのである。ダイキンは2010年以降、モジュール化の原理を採用したこのような製品戦略の検討に着手した。

ベースモデル開発で最も難しいのは、どの機能や性能をベースモデルにすると全体最適になるのかという見極めであり、共通コンセプトの策定である。世界中のすべての要望を取り込めるわけではないから、ベースモデルに組み込む機能を絞り込む必要があった。その一方で組み込む機能を絞り込みすぎると、アレンジ開発で対応する余地が大きくなりすぎてしまい、標準としてのベースモデルを作る意義は薄れてしまう。どこまでをベースモデルで対応し、どこから先をアレンジ開発で対応すると全体最適になるのかという見極めが難しい。

さらに、策定するベースモデルの機種数についても、慎重な検討が必要になった。ベースモデルの種類はできるだけ少なくした方が、規模の経済が働きコスト効率は高まる。だが少ない機種で対応するためには、一つのベースモデルに盛り込む機能を増やさざるを得なくなる。ベースモデルの策定にはこのようなトレードオフ問題が付きまとうのだが、その中でも組織として一つを選択しなければならない。ダイキンはどのような仕組みで決めていったのだろうか。

ダイキンはまず、全世界のニーズを日本に集約させた。日本の製品開発部隊は、商品開発グループと要素技術開発グループの二つの組織に大別される。商品開発グループは文字通り商品としての空調機のコンセプトや性能・機能に責任を持つグループであり、各海外拠点の空調機のニーズやスペックに精通している。他方、要素技術開発グループは、インバータやヒートポンプ、冷媒制御など空調機のコア技術開発に責任を持つグループである。

まず日本で、商品開発グループと要素技術開発グループ両方が参画して、ベースモデルのコンセプトやスペックを作り、それを海外の各開発拠点に提案した。各開発拠点では、そのベースモデル提案を評価し、それだけでは足りない独自ニーズや機能に拠点のアレンジ開発で対応できるのかどうかを検討し、その検討結果を日本にフィードバックする。日本は各拠点からのフィードバックを受け、再びベースモデルを検討しその結果を再度各拠点に提案する。

基本的にはこのサイクルを繰り返すのである。当然のことながら、拠点のすべてのニーズを取り込めるわけではないから、日本と各拠点との間では激しい議論が展開される場合も少なくなかったと言う。そのような議論を繰り返しながら、ベースモデルの策定を進めていき、２０１５年頃には、住宅用、店舗用など用途ごとのベースモデルが完成したのである。

開発体制の転換——日本一極集中から自律分散型の体制へ

さらにダイキンは、空調機の設計思想のモジュール化がほぼ一段落した２０１５年頃から、グローバルな開発体制の見直しに取り組み始めた。まず２０１５年11月に、大阪府にテクノロジー・イノベーションセンター（ＴＩＣ）を設立してグローバル開発戦略の司令塔とした。ＴＩＣが司令塔になり、全世界の技術動向や開発動向を俯瞰したうえで、技術融合や産学連携などの舵取りを全体最適な観点から推進する体制を目指した。

さらに２０１７年７月から、マザー概念を導入したＲ＆Ｄ体制の構築を進めていった。これは、全世界の開発拠点を、その組織能力と果たす機能に応じて三階層の分業体制にして、グローバルな全体最適開発を目指そうとするものである。グローバル開発体制の頂点には、

「グローバルマザー」として位置づけられる日本のＴＩＣが存在する。ＴＩＣは全世界の技術動向と需要動向を睨み、ベースモデルの開発に加えて、空調機のコア技術開発にも責任を持ち、グローバル開発の司令塔としての役割を果たす。

ダイキンのコア技術とはインバータ、ヒートポンプ、冷媒制御の三つである。インバータは、空調機の心臓部である圧縮機のモーター回転数をきめ細かく制御する技術であり、エネルギー効率を飛躍的に向上させる。ノン・インバータと比べて省エネ効率が３割ほど向上する。ヒートポンプは、室外の空気中から熱を取り出して、空気を冷やしたり温めたりする技術である。冷媒制御とは、熱を運ぶ冷媒を、必要な時に必要な量を必要な温度で届ける技術であり、一台の室外機で複数の室内機を動作するマルチエアコンにおいて使われる。ＴＩＣはこれらコア技術の開発に責任を持つのである。

そしてＴＩＣの下の階層には、日本を含む６か所の「拠点マザーＲ＆Ｄ」が存在する。拠点マザーは特定のベースモデル開発を行うことに加えて、特定の製品や機能に限定したマザー機能を持つ。例えば、拠点マザーの一つであるベルギーは、暖房給湯商品の拠点マザーであり、２００６年にはヒートポンプ式暖房を開発したという実績を持つ。同様に中国は、ＰＭ２・５対応など空気質に関する課題や市場ニーズが多い地域であるために、空気清浄や換

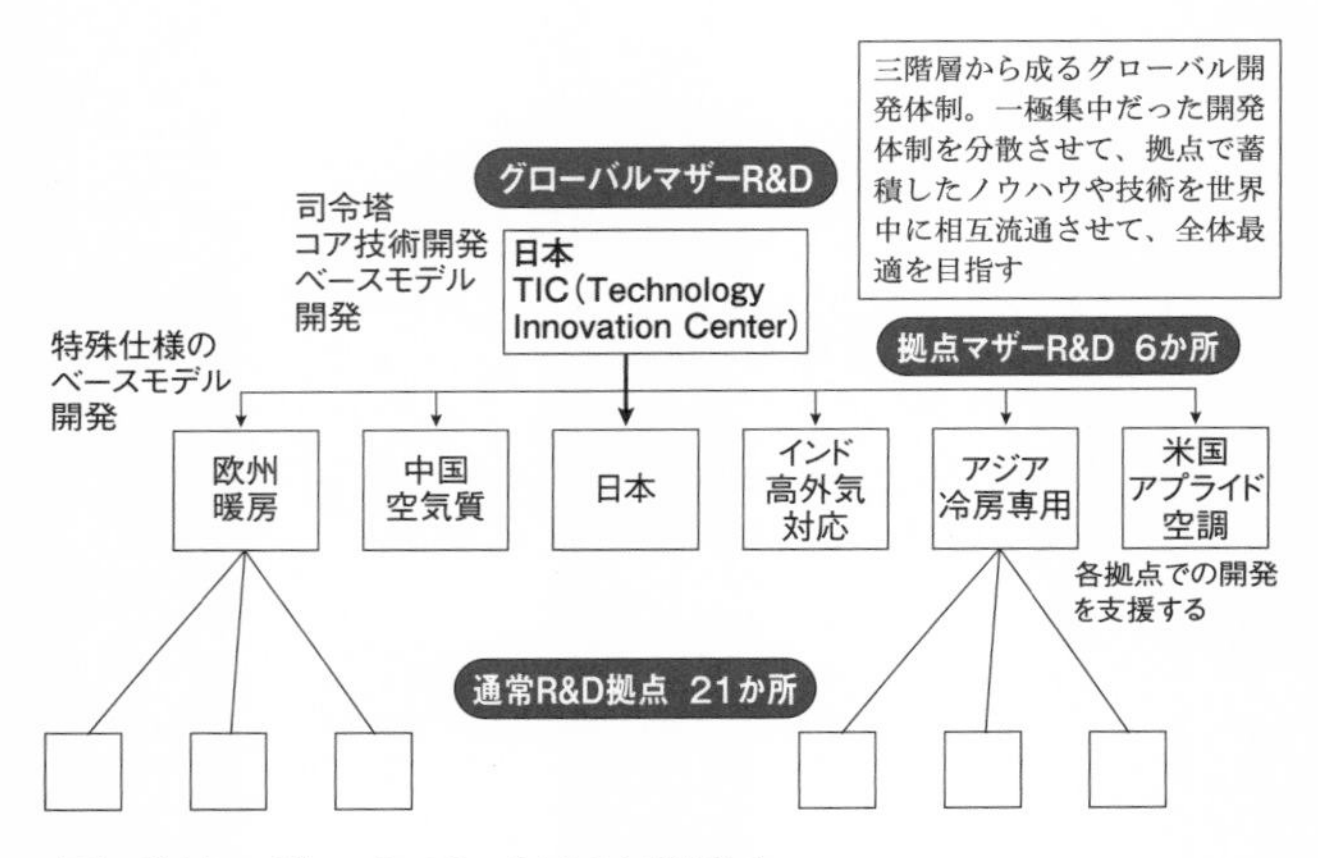

出所：ダイキン工業へのヒアリングをもとに著者作成

図表6-4　三階層のグローバル開発体制の構築（2017〜）

気製品を開発する拠点マザーとして位置づけられている。

これら拠点マザーの下には一般のR&D拠点が位置づけられており、拠点マザーの支援を受けながら現地での開発を行っている。このようにダイキンのグローバル開発体制は、全世界を俯瞰して全体最適の観点から指揮するグローバルマザーとしてのTIC、限定的なマザー機能を持つ拠点マザーR&D、そして一般のR&D拠点という三階層で構築されている。

グローバルマザーとしてのTICの役割について井上は次のように言う。

「ＴＩＣが司令塔となって、各地の人材を把握して、彼らの技術や意見を吸い上げ、マザー拠点のトップと協議のうえで、どこにどう集めるのか戦略的に考えることが重要になります。これこそがダイキンの技術開発力の根本です」

（『日経ビジネス』２０１９・１・21）

そのような司令塔としてのＴＩＣのもとで、開発拠点を持たない地域のニーズは次のように処理される。それら地域のニーズ情報はまずＴＩＣに集約される。ＴＩＣは、世界中の開発拠点にどんな技術者がおり、どんな技術を蓄積しているのかを把握しているために、必要に応じて拠点マザーＲ＆Ｄに開発を振り分ける。

それを受けて拠点マザーＲ＆Ｄは、開発計画や予算を策定しＴＩＣに提案する。ＴＩＣは他の拠点の開発状況などを見ながら、全体最適の観点から開発の最終意思決定をする。

このように全体最適な開発は、グローバルマザーとしてのＴＩＣと各拠点マザーＲ＆Ｄとの情報共有と意思疎通によって実現される。それを促進するための仕組みとして、ＴＩＣと各開発拠点長が出席して半年に一回開催する開発拠点長会議がある。

ベースモデル開発の考え方が導入されていなかった時代は、空調機の機能と品質を保証するために、根本的な設計から細かな変更に至るまですべての開発行為を日本に集中させた。グローバル化を進めるに伴って生じた閉塞感と疲労感は、生まれるべくして生まれたと言っても良い。しかし、ベースモデル開発と自律分散型の開発体制を構築した現在は、世界中の開発拠点に蓄積されている技術と人材を有効活用できるために、全体最適に向けて開発効率は大きく向上した。こうして、２０００年代初頭に顕在化した閉塞感と疲労感を、根本的に克服できる道が見えてきたのである。

モジュール戦略は開発体制にも影響を与える

本章では、日本企業が得意とした従来の製品開発のやり方では、グローバル化に成功すればするほど製品バリエーションが増えて、統合と適応のジレンマの問題が深刻になることを示した。そして、根本的な解決のためには製品設計の考え方をモジュール戦略に転換することが有効であることを、ダイキンの成長過程によって紹介した。

注目したいもう一つの観点は、研究開発体制へのマザー概念の導入である。マザー概念は、マザー工場などのように生産機能に対して適用されることが通例である。マザー工場と言えば通常日本国内に設置されて、海外に新しく建てる工場を支援して育成するという役目を持つ工場を指す。支援して育成する母親のような役割を持つ手本のような工場だ。ダイキンはその概念を生産機能のみならず研究開発機能にまで適用したのである。

そして、海外拠点にもマザー機能を持たせる拠点マザーR&D体制が可能になった要因として、設計思想にモジュール化の原理を採用したこと、つまり、ベースモデル開発の考え方を採用したことが挙げられる。機能モジュールの多様な組み合わせでベースモデルができるようになったことで、従来に比べて開発行為の難易度が低下したからである。その結果、国内のみならず海外拠点でも、一定水準の組織能力と技術力があれば、マザーとしての一定の役割を果たすことができるようになった。

つまり、製品の設計思想は開発組織体制にまで影響を与えるのである。とりわけモジュール戦略は自律分散型の開発体制を可能にするために、世界中の各地域に存在する技術とノウハウを有効活用できる。ただし既に述べたように、モジュール化では良いデザイン・ルールの策定が肝である。そのようなデザイン・ルールが策定できれば、統一した設計思想のもとで、全世界の市場を視野に入れた全体最適な製品展開への道が見えてくる。

＊1　ダイキン工業の事例は、インタビュー（２０１9年11月8日、及び２０２０年1月29日）及び書籍、雑誌、新聞等の公刊資料をもとにして作成した。インタビューにあたり、ダイキン工業の米田裕二氏（空調商品開発担当　執行役員）、長谷川功氏（役員待遇　空調生産本部　副本部長）そして喜多雄一氏（テクノロジー・イノベーションセンター　テクノロジー・イノベーション戦略室長）には多大なご協力をいただいた（所属、職位は取材時のものである）。記して感謝申し上げる。本章は、柴田（２０２１）に大幅な加筆修正を行ったものである。

第7章
製造業のデジタル変容史

これまで、アーキテクチャー戦略とモジュール戦略の意義を学術的背景も踏まえながら説明し、その有効性をトヨタ自動車やダイキン工業、そして高速鉄道などの具体例を使って紹介してきた。本章以降は、それらの考え方をIoT時代の産業戦略にいかにして活用するのかを考察する。

まず本章では、サイバーフィジカルへと至る製造業のデジタル変容史を振り返り、この流れは一体どこから始まったのか、我々は今どこにいるのか、そしてこれからどこにゆくのかを検討しよう。

人類は新たな産業革命の時代に入ったのではないか、という指摘があることは既に触れた通りだ。だが、果たして本当に、革命とまで言いうるものになるのかどうかは、歴史の評価を待たなければならない。しかしいずれにしても、そこには新たな時代の胎動を感じさせる何ものかがあるからに違いない。その一つの象徴は、IoT技術によってサイバーとフィジカルの二つの世界を連携させるサイバーフィジカル融合というビジョンであろう。

そもそも、この潮流の起源はどこにあるのだろうか。後ほど詳しく述べるように、それは1970年代、機械にデジタル技術を組み込んだところから始まった。もちろん当時のデジタル技術は現代の水準から見ると初歩的な技術水準に過ぎなかったが、その後の半導体技術やセンサー技術の急速な進歩がサイバー空間の広がりと相まって、サイバーフィジカルへの道を開いたのである。

7・1　そもそもデジタル化とは何か

現場から解き放たれ、すべての情報が0と1の二進数で表現される

コンピューター産業から始まったデジタル化の流れは現在一層加速しており、我々を取り巻く多くの製品・機械にデジタル技術が組み込まれている。デジタル技術が組み込まれた製品群がＩｏＴ経由で相互に連結されて情報を共有しながら、大きな有機的なシステムの一部として稼働するというのが現在多くの先進国が共有している産業ビジョン、すなわちサイバーフィジカル・システムだ。デジタル技術の活用はそのような高度な連結性を生み出すと言って良いだろう。

そもそもデジタルとは一体何だろうか。おそらくデジタルに対する漠然としたイメージを持ってはいるが、その意味を正面切って聞かれると答えに窮する場合が多いのではないだろうか。

デジタルとは、情報が物理的機器との密接なカップリングから解き放たれて、すべての情報が0と1の二進数で等しく表現されることを言う。その情報は電子化されて、有線か無線かを問わず目的地に伝送され、用途に応じて様々に処理されるのだが、そういう電子化された情報を総称してデジタルと呼んでいる。

情報は、人間が発信する情報と機械が発信する情報とに大別される。前者の典型例には、人間の購買行動に伴って作り出される情報などがあるし、後者の典型例には、工場で金属を切削する機械が発する様々な稼働情報などがある。

デジタル化するとは、それらの情報が購買現場や生産現場から切り離されて、二進数の0と1の連続でのみ表現される電子情報に変換することを言う。そうなると、目的に応じていかようにも処理可能なものになる。さらに伝送路さえつながっていれば、地球上のどこであっても正確に伝達することが原理的には可能になる。

それに対してアナログ情報の場合どうだろうか。アナログ情報は、購買現場や生産現場など現場の状況と緊密な関係を持ち、現場に張り付いているために、それを現場から引き剝がして他の場所に伝達することは難しい。まして正確に伝達することは困難を極めると言って良い。

アナログとデジタルの違いは、健康診断時に使用されるX線を使った画像診断装置の変遷を思い浮かべるとわかりやすい。いわゆるレントゲンである。アナログの時代、人体を透過したX線情報をフィルムに感光させてレントゲン写真にしていた。それに対して現在普及しているデジタル式では、人体を透過したX線情報をフィルムではなくてセンサーに記録して、それを電気信号に変換し、コンピューターでデジタル信号処理する。デジタル化された診断情報は、フィルム以外の他の表示機器、例えば液晶モニターなどにも表示できる。

つまり、かつてはフィルムという物理的媒体に刷り込まれていたアナログ情報は、デジタル化されると、物理的媒体の制約から解放されて、0と1の連続で表現される電子情報としてコンピューターで自由に処理できるようになるのである。

このようなデジタル化の最大のメリットは、コンピューターによる画像処理ができるために、診断目的に合わせた様々な画像情報が提供できるという点だろう。加えて、デジタル化された電子情報なので、それを保存したり蓄積したりすることは容易にできるし、共有することも可能だ。しかもデジタル化された情報はアナログに比べてノイズに強い。こうした長所を持つデジタル式の画像診断装置は、富士フイルムによって１９８０年代に最初に開発された。そして現在、世界中の医療機関で利用され、医療の高度化や効率化に大きく貢献している。

デジタル化することには、以上のような多くのメリットがある。そして、デジタル技術が組み込まれている製品をデジタル機器と呼ぶのだが、現在、スマホは言うまでもなく、車や家電、建設機械など多くの製品や機械がデジタル機器に変貌を遂げつつある。その背景には、センサー、メモリやコンピューターなどの小型化・高速化・低コスト化など情報処理関連技術の急速な進歩がある。その結果、かつては機械の塊だった車にも現在多くのデジタル技術が組み込まれている。電気自動車になると、デジタル技術の占める割合は一層増加する。

7・2　デジタル化の進展がもたらすソフトウェア重視

デジタル化とソフトウェアの因果関係

デジタル技術の急速な浸透はどのようなインパクトを産業社会にもたらすだろうか。それは、多くの機能がソフトウェアで実現されるようになるために、社会がソフトウェアに大きく依存し、ソフトウェアの重要性が増大するということを意味する。

だが、それはハードウェアが重要でなくなるという意味ではない。ハードウェアがなければソフトウェアは稼働しないからだ。ソフトウェアを支える基盤としてのハードウェアの重要性は依然として変わらない。我々の産業社会の中で、ソフトウェアの果たす量的比重が大きくなり、その結果、従来の産業特性が影響を受けるという点が重要だ。

だが、デジタル技術の浸透はなぜソフトウェア中心の産業社会を招来するのだろうか。我々は直感的にそのことを理解してはいるが、改めて正面から問われると、これまた答えに窮するかもしれない。その因果関係を少しひも解いてみたい。

いかなるデジタル機器であれ、それを構成する中核部品は、データの論理演算を行う演算処理装置（Processing unit）と、命令コードとデータを保存しておく記憶装置（Storage unit）の二つである。演算処理装置は、使われる文脈によってＣＰＵ（Central Processing Unit）と言われたりＭＰＵ（Micro Processing Unit）と言われたりするが、ここではそれらを総称してプロセッサと呼ぶことにする。プロセッサも記憶装置も半導体技術で作られた製品である。

デジタル機器には、様々な周辺機器が伝送路を経由して連結されている。例えばパソコンには液晶ディスプレイやキーボードなどの周辺機器が連結されているし、生産現場で稼働する産業用ロボットには、モーターやアームなどが連結されている。いずれにしても、それらが有機的に一体となって稼働するように、周辺機器全体を監視して適切な指示を出すのがプロセッサである。

その意味でプロセッサは頭脳部とでも呼べる半導体製品である。パソコンの場合、インテルのＭＰＵがそれに相当するが、パソコン以外の例えば電子書籍端末や無人運転の建設機械などのデジタル機器・機械でも、全体を統括する司令塔が必要であり、その役割を果たすプロセッサが稼働している。そのデジタル機器に要求される技術特性によって、プロセッサに必要な能力や性能は異なってくるが、しかし頭脳の役割という意味では同じである。

ここで重要なのは、誰が頭脳部としてのプロセッサに動作指示を出すのかという点だ。プロセッサは半導体技術で作られたハードウェアであり、それが独自に自律的に判断して動くわけではない。そうではなくて、メモリにソフトウェアとして記憶されている動作アルゴリズムに従って、他の周辺機器に対して動作命令を出すのだ。

例えば、周辺機器であるフラッシュメモリの何番地に記憶されているデータをいつ読み込み、どういう計算をするのか、そして、周辺機器としてのモーターを秒速何回転のスピードで回すのかというような一連のアルゴリズムが、プログラムとしてメモリに記録されている。プロセッサはそのプログラムを読み込み、それに従って連結されている周辺機器に指示を出すという流れである。このような制御指示の流れを簡潔に表現すると図表７‐１（次ページ）のようになる。

その意味でハードウェアとしてのプロセッサは、ソフトウェアの指示通りに稼働しているだけ、とも言える。図表７‐１に示すように階層構造の頂点にはソフトウェアが君臨しているのだ。従って、仮にソフトウェアの出す指示・命令が間違っていれば、プロセッサはその通りに周辺機器に指示するために、デジタル機器は誤動作することになる。こうしてデジタ

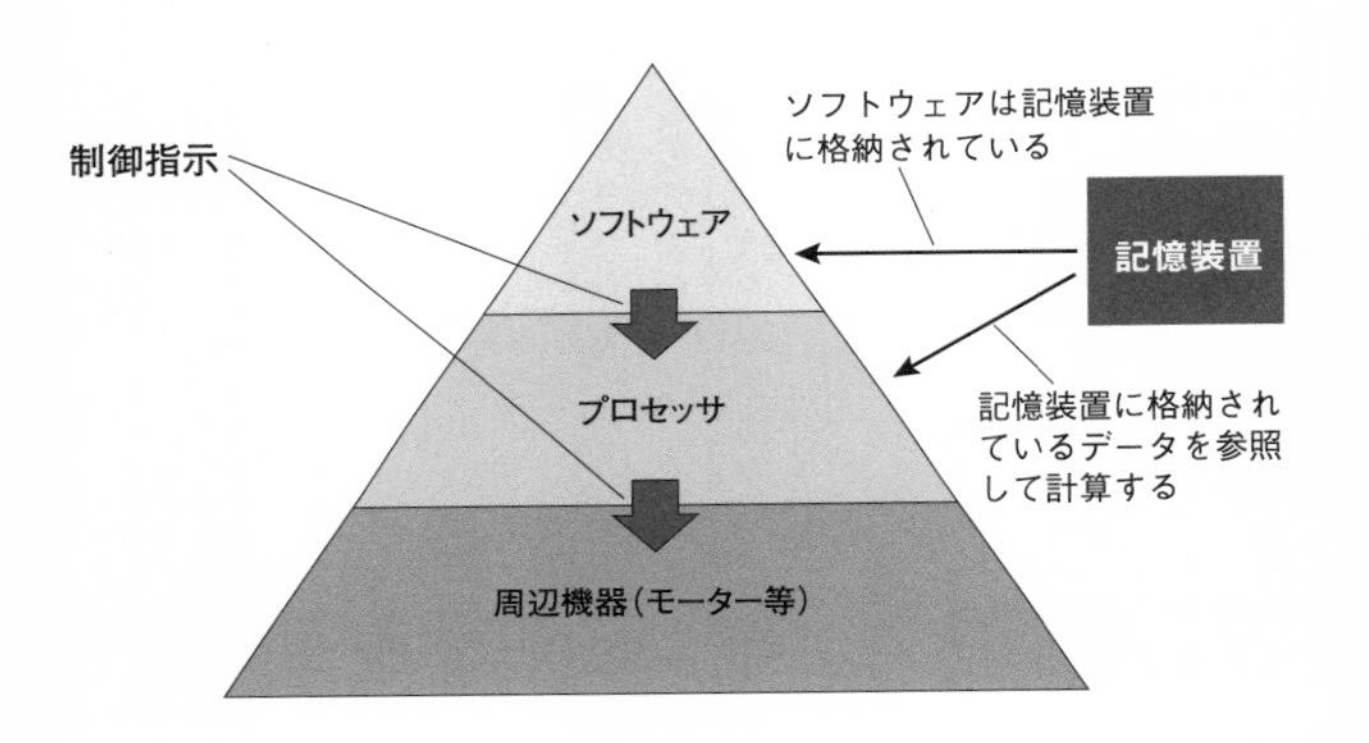

出所：著者作成

図表7-1　制御指示の流れ

ル技術が社会に浸透してゆき、稼働するデジタル機器が増えれば増えるほど、ソフトウェアの占める比重が高まりその重要性は増大することになる。

ただし、ハードウェアとしてのプロセッサとソフトの関係は相互に規定し合い、あるいは相互に進化を促進し合う関係になっているという点が重要だ。どれほど高度なアルゴリズムであっても、それを実際に動かせるだけの性能や処理速度などの能力が、ハードとしてのプロセッサに必要である。逆に、高性能・高機能なプロセッサは、その能力をフル活用して価値を生み出すために、高度なアルゴリズムの開発を促すだろう。それがなければ、高機能・高性能なプロセッサは宝の持ち腐れに過ぎなくなるからだ。

このように、ハードウェアとしてのプロセッサとソフトウェアの関係は、相互促進的に進化を促す関係になっている。例えばＡＩの急速な進化がどのようにして達成されたのかを見てみると良い。演算処理を行うハードウェアとしてのＡＩチップと、ソフトウェアとしての機械学習アルゴリズムとの間の相互促進的な進化によって、急速な進化がもたらされたのである。

再プログラム可能性

さらに、デジタル技術とソフトウェアが中心になる産業社会の大きな特性は、再プログラム可能性（re-programmability）である。既に説明したように、デジタル機器の制御の流れは、ソフトウェアがプロセッサに対して制御指示を出し、プロセッサはその指示を受けて周辺機器を制御するという流れになっている。どのようなデジタル機器であれ、フォン・ノイマン型である限り、この流れは変わらないはずだ。つまり機能はソフトウェアによって実現されるのであり、新しい機能を追加する場合、プロセッサなどハードウェアを変える必要はなく、ソフトウェアを新しくすれば良い。新しい機能を実現するアルゴリズムをソフトウェアとして書き込めば良いのだ。ソフトウェアの追加・修正だけで、機能の追加修正が容易にできる。これが再プログラム性の意味である。

この再プログラム性はパソコン等コンピューターの世界では至極普通のことだと言って良いだろう。パソコンの様々な機能は、ハードウェアを土台として、その上で稼働するソフトウェアによって実現されるのである。今日、コンピューターだけではなくて、多くの製品で再プログラムによる機能実現と機能追加が可能になりつつあり、スマート製品が台頭しつつある。スマホで新しい機能を追加する場合、ソフトウェアをダウンロードすることで実現されるが、それがわかりやすい例だ。さらに、従来は機械産業の代表格だった自動車産業もその例にもれず、車のデジタル化が進展するにつれてソフトウェア制御の重要性が増大している。

例えば米テスラ社の電気自動車はソフトウェアのアップデートにより、車体というハードウェアを変更せずに、新機能の追加や既存機能の強化ができる。例えばエンタテインメント機能の追加や熱マネジメントシステムの機能強化、自動運転の新機能等、ソフトウェアで実現される機能は多岐にわたる。ソフトウェアはＷｉ‐Ｆｉ経由でテスラの車両に定期的にインストールされるのだ。このように通信によってソフトウェアをアップデートする技術をOTA（オーバー・ザ・エア）と言う。

ここで興味深いのは、ソフトウェアが定期的にアップデートされることで、時間経過とともに車の性能や機能が進化していき完成度が高まる点だ。従来のハードウェア中心の車であれば、機械は摩耗するために時間経過とともに車の性能は経年劣化していき価値は低下するというのが常識だった。ところが、中心がソフトウェアに移行するとまったく逆のことが起こるのだ。

もちろん、ハードウェアの経年劣化は避けられない。従って、使われれば使われるほど、ハードウェアとしての車は劣化するが、他方でソフトウェアとしての車はむしろ進化するという真逆のことが同時に進行していることになる。価値劣化と価値向上が同時に発生していると言って良い。このことは車の製品特性や産業特性に大きな影響を与えるに違いない。

デジタル化が進行する産業は、程度の違いはあるにしても、ほぼ同様の技術潮流に直面することになる。

７・３　製品・機械のデジタル化はどこから始まったのか

第４次産業革命の起源

デジタル化とは０と１の二進数で情報を表現することであるから、デジタル化はまず二進数でデータ処理されるコンピューター産業から始まったのである。１９７０年代の汎用の大型メインフレームコンピューターが大企業の現場で使われ始めた時代から、80年代になって、個人が仕事や日常生活でパソコンを使う時代になり、デジタル化の波は広く社会に浸透した。

仮にこの段階でとどまっていれば、デジタル化はあくまでもコンピューター産業に限定されており、仕事や生活にコンピューターを活用して効率を上げるという話にとどまっていたはずだ。つまりＩｏＴやＣＰＳ、そして第４次産業革命への道は開けなかったに違いない。

第４次産業革命への道が開かれたのは、コンピューター産業を超えて、家電や車、医療機器、産業機械など他産業の製品・機械にまでデジタル技術が組み込まれ、デジタル化が広くかつ深く浸透していったからに他ならない。第４次産業革命の時代を「第二の機械の時代」

（セカンド・マシン・エイジ）と呼ぶ識者もいる。それは機械が肉体労働を代替することにとどまらず、一定の知的労働をも代替できるようになった時代を指す。つまり、スマート製品の台頭である。それによってあらゆるモノをネットにつなげてサイバー空間でデータを共有して分析・処理し、さらに現実にフィードバックさせるというサイバーフィジカルへの道が開けたのだ。

だがそもそも、この流れは一体どこから始まったのだろうか。その源流を探ってゆくと、半導体であるプロセッサの制御をソフトウェアによって行うという独創的なアイデアの誕生に突き当たる。それは１９７１年、米インテルが世界で最初のプロセッサ「４００４」を開発したことだ。当時インテルは、日本のビジコン社と電卓用ＬＳＩの共同開発をしており、電卓に必要なハードウェア論理回路をどうやって実現するかを研究していた。その過程で着想したのが、ソフトウェアで半導体デバイスを制御するというアイデアだった。

半導体デバイスをソフトウェアで制御するというアイデアは、今となっては当たり前だが、当時としては非常に画期的なアイデアだった。当時の半導体産業にはソフトウェアという概念自身がそもそもなかったからである。ソフトウェアによる制御というアイデアは、ソフトウェアの豊富な使用経験を有するコンピューター産業からの連想に違いない。その意味で、ソフトウェアで制御される半導体デバイス、つまりプロセッサというアイデアは、半導体産業とコンピューター産業の融合から生まれたと言えるだろう。

その後半導体技術の進歩によって、プロセッサ自身の処理速度、性能、省電力、サイズなどが劇的に向上し、多くの製品・機械にプロセッサが組み込まれるようになった。同時に、センサーやメモリなどの関連要素技術も大きく進歩し、高性能で安価なデバイスが入手可能になったことも大きい。これらの技術進歩が相まって、多くの産業で製品・機械のスマート化が一層促進されることになったのである。

こうして技術史を辿ってゆくと、第４次産業革命につながる起源は１９７１年のプロセッサの誕生にあったと考えられる。

では、プロセッサを組み込み活用した最初の製品・機械は一体何だったのか。それは以下に示すように、キャッシュ・レジスターと工作機械用ＮＣ装置であり、それらを主導したのはともに日本企業だったのである。このプロセスの詳細は『日本のものづくりを支えたファナックとインテルの戦略』に詳しいが、以下、概要を紹介する。

日本が先取りした機械のデジタル化

インテルのプロセッサ「４００４」を世界で最初に量産製品に採用したのは、テック（1999年には東芝から複写機事業を譲り受けて社名を東芝テックに変更したが、ここではテックの名称を使用する）が1973年に発表したキャッシュ・レジスターである。現在、テックのレジスターはコンビニエンス・ストアのPOSシステム（販売時点管理システム）などで多く使用されているが、このレジスターの多くはプロセッサを搭載した電子式レジスターである。しかし、60年代当時のレジスターは、電子式ではなくて機械式レジスターが主流だった。

当時は、スーパーマーケットが急速に台頭してきた時代で、機械式レジスターが抱える技術限界が次第に明らかになっていた。スーパーマーケットの顧客数の増大や処理金額の増大などで、機械式レジスターはスピードや正確さなど、処理性能の限界に直面していたのである。加えて、キータッチが重いために、オペレーターの腱鞘炎（けんしょうえん）が問題になっていた。つまり、機械式という技術体系からくる技術限界に直面していた。その中でテックは４００４を使用した電子式レジスター「BRC - 32CF - FIGS」を世界に先駆けていち早く開発した。これは、現在のレジスターの原型とも言うべきものである。

さらに1975年、ファナック（当時　富士通ファナック）はインテルのプロセッサ「3000」シリーズを内蔵したNC装置を開発した。プロセッサを組み込んだNC装置の開発にいち早く成功したことが、その後のファナックのみならず日本の工作機械産業の成長に大きく寄与した。

プロセッサを導入することは、既に述べたように制御の中心がハードウェアからソフトウエアに移行することを意味する。ハードウェアを変更しなくても、ソフトウェアのアップデートで機能追加や機能変更が可能になるという柔軟性を日本のNC工作機械は獲得したのである。つまり再プログラム性だ。この柔軟性が一つの大きな武器となり、NC工作機械は大企業のみならず中小企業にまで広く導入されることになり、それを契機として日本の工作機械産業は世界の頂点へと駆け上ったのである。

これはIBMがパソコンにインテルのプロセッサを採用する6年も前のことであり、その意味で、工作機械産業はコンピューター産業よりもはるかに早くプロセッサを採用したのである。ファナックの事実上の創業者とも言うべき稲葉清右衛門は「我々は、コンピューター産業よりも早く、半導体を使って技術革新を行った」と述べているが、それはこのことを指している。

製品・機械にプロセッサを組み込んでソフトウェアで制御するという技術潮流は、まさにここから始まった。プロセッサ導入前のＮＣ装置をハードワイヤードＮＣと称し、導入後をソフトワイヤードＮＣと称するのは、まさにハードからソフトへという変化を象徴しているように思える。

近年、日本はデジタル化に遅れているのではないか、と危惧されることが多い。しかしこうした歴史的事実を振り返ると、製品や機械のデジタル化に限って言えば、日本企業は遅れているどころかむしろ世界の流れを先取りしたと言って良いだろう。その延長線上に今日のＩｏＴやＣＰＳの台頭が存在するのだ。

７・４　その後のデジタル変容の軌跡

拡大するサイバー空間

機械にプロセッサを導入して、様々な機能をソフトウェアで実現するという根本思想は、現代のＩｏＴ時代においても変わることなく継続している。その意味で日本は、今に至るまで有効な根本思想を世界に先駆けて１９７０年代に生み出したのである。

そこから出発した機械のデジタル変容の軌跡を、歴史的に俯瞰すると一体何が見えてくるだろうか。機械のデジタル化はその後、サイバー空間の拡大と機械の知能化という二つの技術軌跡を辿ったことがわかる。そして現在、それらの流れがＣＰＳという概念に集約されつつあるというのは既に言及した通りだ。

このような技術潮流の根底で、流れを突き動かしているものは、半導体産業の急速な進化だろう。半導体産業は、18か月で性能が倍になるというムーアの法則に従って、高速化、高性能化、高機能化を遂げた。ＩｏＴ・ビッグデータ・人工知能などで必要になる高度なアルゴリズム処理が可能になるのも、高速で高性能、高機能な半導体技術があってこそ、の話である。このような半導体産業の技術進化を土台にしつつ、機械のデジタル化は前記の二つの方向に向かって変容を遂げたのである。

まずサイバー空間の広がりから確認しよう。今日、新たに台頭しつつあるのは、製品・機械に装着した多くのセンサーで様々なデータを察知してネット上のクラウドに蓄積し、そのビッグデータを人工知能等で分析して、実世界に循環させるという方式である。このクラウド方式は、１９７０年代に機械のデジタル化が始まった当時には、まだ存在しなかった。

この方式はデータの蓄積規模という点で大きな利点があるが、とはいえ常に望ましいというわけでもなく、それは機械の特性やデータ分析の目的に依存する。その際二つの観点が重要だろう。一つはリアルタイム性であり、もう一つはセキュリティの観点だ。

例えばリアルタイム処理の実現が不可欠な機械の場合、データをクラウドまで上げずに、現場に設置している独自サーバーにデータを収集・蓄積して、そこで分析・判断して現場に早くフィードバックする、いわゆるエッジヘビー方式の方が望ましい。エッジヘビーとは、エッジ、すなわち機械の近傍で処理をするという意味だ。逆に言えば、リアルタイム処理を必要としないデータであれば、クラウドにできるだけ蓄積し、そこで分析した方がより正確な分析ができる。あくまで一般論だが、できるだけ大量のデータを蓄積し分析した方が、精緻な結論が導き出せるからだ。

またセキュリティの観点からも、クラウドまでデータを上げるよりも、エッジヘビーで処理した方が安全性は高い。公共のインターネットを経由するクラウドでの蓄積・分析よりも、社内独自に設置されたサーバーでの蓄積・分析の方が、外部からの侵入を受けにくいことは明らかだろう。

生産現場を考えるとイメージしやすい。そこでは過酷な工場環境の中で、しかも高速で稼働する様々な機械やロボットを対象にしているために、リアルタイム処理の実現が重要な成功要因になる。そのような環境下では機械制御の遅れは大きな影響をもたらすからだ。また、生産現場には機械の稼働状況に関する様々な機微情報が存在しており、セキュリティの観点も重要になる。後述するが、ファナックと三菱電機双方は生産現場を対象にしたCPSを提唱しているが、それらが共通して、エッジヘビーというコンセプトを打ち出し、エッジでの処理を重視しているのはそのような理由による。

つまり、IoTで収集した実世界の膨大なデータを、サイバー領域のどの水準にまで上げて蓄積・分析し、循環を形成するのかという点について、エッジヘビー、クラウドという二つのレベルがあるということだ。CPSに取り組む企業はどちらかを選択しなければならない。その際、リアルタイム性とセキュリティという二つの観点に着目することが有益な指針になるだろう。

サイバー空間の広がりとはそのようなことを意味しており、その方向に向かって、機械のデジタル化は変容を遂げたのである。

ボトルネックが解消された人工知能

１９７０年代以降のもう一つの技術軌跡は、機械の知能化である。この潮流を後押ししているものにはセンサー技術など要素技術の進化があるが、中でも最も強くその動きを突き動かしているものは、長年のボトルネックが解消された人工知能（ＡＩ）技術であろう。

実はＡＩが注目されるのは何も今回が初めてではない。これまでも2回、ＡＩのブームがあったのだが、いずれも実用化にはほど遠いことが明らかになり、すぐに「ＡＩの冬」の時代を迎えた。しかし近年は、長年のＡＩのボトルネックが解消されたために、実用化に向けて大きく前進している。これまでの流れを簡単に振り返ってみよう。

第1次ＡＩブームは、１９５６年から１９６０年代にかけてと言われる。当初、人工知能の実現は楽観視され、１９６０年代には高校レベルの代数問題を解くプログラムやチェスプログラムなどが開発された。しかし、非常に限定的なルールで構成された小さな世界の問題しか解くことができないとの批判を受け、１９７０年代以降は研究資金が引き上げられた。これがいわゆる第1次ＡＩブームの終焉（しゅうえん）である。

しかし、その後１９８０年代に入って、実社会の問題をある程度扱える「エキスパートシステム」が開発可能となり、再び人工知能分野の研究開発が活発となった。これが１９８０年代の第２次ＡＩブームである。緑内障など特定分野の医療診断、特定の機器に関する故障診断など、エキスパートシステムは一定の実用性を発揮し一部は商用利用も始まった。

一般にエキスパートシステムでは、専門家の知識をプロダクションルール（「if A then B」形式のルール）の形式にして知識ベースを構築する。しかし、専門分野においてさえ、すべての知識をプロダクションルール化することは困難で、一部曖昧な部分が残ることは容易に想像できるであろう。また、新たな事実の発見に伴うルール変更の必要性が生じた場合、知識ベースを改定するには大きな保守コストが発生することも実装化の大きな障害となった。こうして、実社会の問題へ対応するにはいまだ大きな障害が存在することが明らかになり、１９８０年代後半から再び「ＡＩの冬」を迎えたのである。

これまでのＡＩの実用化に向けた苦闘の中で、最大のボトルネックは、特徴量抽出ができない点にあった。例えば人間が現実世界をモデル化する場合を考えてみよう。その場合、複雑な現実世界のうちでどの特徴量に注目すると最も現実世界を的確に反映したモデルになるかを十分に検討したうえで、その特徴量を使ったモデル化を行うはずだ。どの側面に注目するのかという特徴量抽出の良し悪しが、モデル化の成否に大きな影響を与える。ところがこれまでのＡＩでは特徴量抽出に人間が大きく介在しており、これがＡＩの実用化に向けた最大の問題だったのである。

しかし、この長年のボトルネックがディープラーニングによって解消された。ディープラーニングの本質は、大量データをもとにして、どこに注目すべきなのかという特徴量を自動的に学習すること、つまり「教師なし学習」にある。従来は、人間が教師としてどこに注目すべきなのかという特徴量をＡＩに教えていた。膨大な現実世界から特徴量を抽出するという最も困難で計算量が大きな作業を、人間が介在せずにＡＩ自身ができるようになったことで従来のボトルネックは解消された。こうして現在、ＡＩは実用化に向けて大きく前進しており、様々な産業での実装が試行錯誤されている。

エッジＡＩとクラウドＡＩ

既にサイバー空間の広がりについては言及したが、拡張されたサイバー空間上のどこにＡＩ機能を置くかによってエッジＡＩとクラウドＡＩの二つに大別できる。

エッジＡＩとは、ＡＩの学習機能や推論機能をエッジ側、すなわち製品や機械に組み込むか、あるいは近くのサーバー等に置き、そこで収集された実世界データの分析・判断を行うというものだ。もちろん必要なデータはクラウドに上げてそこでも必要な分析をすることはできる。

従って、ＩｏＴ経由で収集した実世界データのうち、エッジで処理するデータとクラウドで処理するデータを判別する必要がある。エッジＡＩの長所は、ネットに情報が出ないためにセキュリティが確保されるという点や、リアルタイム性が確保されるという点が挙げられる。リアルタイム性が重要になる自動運転の車両制御や、生産現場で高速回転する機械制御などはこの方式で処理される。

他方でクラウドＡＩの場合、ＩｏＴ経由で収集したすべてのデータをクラウドに上げて、そこでＡＩの学習や推論処理を行う。この方式の長所は、分析をクラウドで行うために、複雑で膨大なデータの処理が可能になるという点だ。車の走行データに関しても、リアルタイム処理を必要とするデータとそうでないデータがある。車の走行量に応じて蓄積される膨大な走行履歴データなどは、リアルタイム処理を必要としないために、クラウドＡＩで分析する方法が合理的であろう。

このようにＡＩ技術の実用化が製品・機械の知能化という流れを後押ししたのである。

以上の技術潮流を改めて俯瞰すると、一つの興味深い推論が可能になる。まず確認しておきたい事実は、ＡＩの実用化はＩｏＴの台頭と時期をほぼ同じくして進行したという点だ。とするならば、それは一体なぜなのか。ＩｏＴとＡＩは元来別々の研究分野で異なる技術軌道上を進化してきたが、歴史上両者が遭遇することで技術進化が加速し、実用化に向けて大きく前進したのではないだろうか。ＩｏＴとＡＩは相互に進化を促進し合う相互促進的な関係になっているからだ。

ＩｏＴによって現実世界の多様な製品・機械発の膨大なデータを低コストで収集できるようになったことが、ＡＩ研究を加速させた。そしてＡＩ研究の進展には膨大なデータ蓄積を必要とするために、ＩｏＴ技術の進展と普及をさらに加速させることになり、それがＡＩ研究を一層後押ししたという関係である。

ＡＩとＩｏＴは相互に促進し合うという観点に立つならば、両技術がほぼ同時期に台頭してきたことを、単なる偶然と捉えるよりも、一定の理があったと捉える方が合理的なように思える。こうして歴史上二つの技術が邂逅（かいこう）したことによって、ＣＰＳという概念が触発され、第４次産業革命への道が開けていったと考えられる。

終章

日本の正念場　サイバーとフィジカルの好循環へ

純粋なサイバー空間の競争で、日本は米国の巨大ＩＴ企業の後塵を拝して、もはや挽回不可能なほど大きな後れをとったと言って良いだろう。

その日本にとって、フィジカルとサイバーの融合領域は今後の正念場になるはずだ。フィジカルとサイバーが融合したＣＰＳという山を、巨大ＩＴ企業はサイバー側から登ろうとしているのに対して、日本の機械メーカーはフィジカル側から登ろうとしており、頂上で激突する可能性が高い。ＣＰＳは融合領域である以上、どちら側からでも登れるはずである。主戦場は、サイバーだけでもなくフィジカルだけでもなく、ＣＰＳという融合領域の頂点を目指して展開される登山競争に移った。

例えばその兆候は、ＣＰＳの一つであるスマートシティを巡る日米企業の取り組みに見ることができる。周知のように日本では、自動車メーカーであるトヨタが東富士工場の跡地に先端的なスマートシティ「Woven City（ウーブンシティ）」の構築を計画している。東京ディズニーランドよりも広い約70万平方メートルの敷地で、様々な先端的社会実験が行われる予定だ。例えば、交通量データと信号を連動させてどの程度渋滞を防止できるのか、あるいは、高齢者にセンサーをつけてもらい、高齢者の行動データなどから、行動の見守りや遠隔医療に生かすことができるのかなどがその一例である。

他方、米国ではＩＴ企業グーグルの親会社アルファベット傘下の Sidewalk Labs（サイドウォーク・ラボ）がスマートシティプロジェクト「サイドウォーク・トロント（Sidewalk Toronto）」を２０１７年から始めた。これは、カナダのトロント市東部に、ＩＣＴを駆使したスマートシティを作り、そこで交通や上下水道などの公共サービスをＩＣＴにより最適制御するプロジェクトだった。しかし、最終的に、個人情報の保護に懸念を持つ住民らの反対により２０２０年5月に中止されるという結末を迎えた。このスマートシティの挫折自身は、先端技術と個人情報との相克に関する貴重な教訓を残すことになった。だが、この点は本書の領域を超えている。

ここで指摘したいポイントは、スマートシティというＣＰＳを目指して、日本ではトヨタというフィジカルな世界で事業を営んできた自動車メーカーが登り始めたのに対して、米国ではグーグルという純粋なサイバー世界で事業を営んできたＩＴ企業が登り始めたという事実である。サイバーとフィジカルの融合である以上、どちらからでも登ることができるからだ。自動車メーカー主導か、あるいはＩＴ企業主導かという競争が、頂上を目指して展開されることになる。

今後あらゆる分野でＣＰＳを巡るこのような競争が展開されるはずだ。本章は、ＣＰ

Sの発展過程を考察したうえで、オープンCPSのアーキテクチャーを読み解く。そして、建設現場や生産現場、そして医療現場で進みつつある具体例を紹介し、日本の今後の戦略を論じる。

8・1 CPSの発展経路とプラットフォームの台頭

あらゆる現場で直面する課題

CPSの実装は徐々に進みつつあるが、最終形態はまだ明瞭に見えてこない。業種によって様々な試行錯誤が行われ、発展段階は現場ごとに様々である。いまだ発展途上にあるからこそ、先んじてアーキテクチャーを考えることに意味があり、最終形態の主導権を握れるチャンスがある、とも言える。

そのためにまずCPSの発展経路を検討しよう。

CPSはまず、機械単体での閉じたループから始まる。機械へ装着された複数のセンサーからＩｏＴ技術を使って様々なデータを収集する。それらのデータをエッジで処理した方が良い場合もあれば、クラウド処理が必要な場合もある。いずれにしても収集した様々なデータをサイバーで処理・分析して、再度フィジカルの機械の監視・制御に活用するという一連の循環が、機械単体でのクローズドなＣＰＳの典型的なものだ。

最もＣＰＳが先行している生産現場を考えてみよう。工作機械やロボットのモーターの振動、発熱、負荷等の時々刻々変動していくデータをリアルタイムで分析し、その結果を受けて機械の診断や制御に活用する。例えば、モーターの負荷が一定の閾値を超えた時点で異常を察知して、事前にロボットの動作を停止させることができれば、突発故障を回避できるだろう。

あるいは、稼働時間やアラーム発生履歴等をクラウドに一定期間蓄積しておき、後で詳細に分析して顧客サービスの向上や製品設計の改善につなげることもできる。この循環は、自社の製品・機械単体に限定され閉じているという意味でクローズドなＣＰＳと言って良い。他の機械とのデータ共有や連携が可能になっているわけではないからだ。

だが、実際の生産現場では、メーカーや開発年次の違う多種多様な機械が混在しており、複数の接続方式や通信手順、データ仕様等が存在している。このような性質を持つ現場にはどう対応すればいいのだろうか。

抽象度を上げると、現場とは多様な機械が相互接続されて有機的に連動するシステムとして理解できる。そしてシステムには全体の足を引っ張るボトルネックが存在する。そのようなシステムとしての現場全体の生産性を上げようとすれば、機械単体で循環するクローズドなCPSでは不十分である。

現場に存在するあらゆる機械や設備が発する様々なデータを収集して、それらを全体で共有・分析し、全体最適の観点からボトルネックを見つけ出して解消し、全体の生産性を上げる循環が必要になる。このような場合、収集された個別データは現場全体で広く共有されて活用されるという意味で、オープンなCPSなのである。

そのためには、個々の機械が発する独自のデータ仕様を標準化して一元管理する必要があり、それが共通基盤としてのプラットフォームである。オープンCPSの中心にはプラットフォームが存在しており、サイバーとフィジカルの二つの世界はプラットフォームを媒介として循環するということだ。従って、オープンCPSの発展過程では、一体誰が優れたプラットフォームを構築するのかという主導権争いが展開される。

このような事情は何も生産現場に限った話ではない。いかなる現場であれ、そこは必ず多種多様な機械や設備で満ちており、それらが有機的に連携されて初めてまとまった仕事が遂行される。建設現場には、ブルドーザーやトラック等機能が違う複数の機械が稼働している。そしてメーカーも違うし開発年次も寿命も違う。自動運転車が走行する現場もそうだ。メーカーも開発年次も違う多種多様な車が稼働しているのが、自動運転車の走行現場なのである。

そのような多様性に満ちた現場を全体最適に制御しようとすれば、個別機械を超えたデータの共有と活用が不可欠になり、そのためには機械横断的な共通基盤としてのプラットフォームが必要になる。

このようにして、ＣＰＳは機械単体での閉じたクローズドＣＰＳから、現場全体を対象にするオープンＣＰＳへと発展を遂げるはずだ。そしてオープンＣＰＳが成立するためには、フィジカルとサイバーの二つの世界をつなぐプラットフォームが必要になる。つまりオープンＣＰＳへの発展途上でプラットフォームの構築は不可避と言って良い。ＣＰＳの発展とプラットフォームの台頭にはこのような関係がある。

以上のような発展経路を整理すると図表８‐１（次ページ）のようになる。左下には自社の機械単体で循環するクローズドなＣＰＳが位置づけられているが、そこを起点として、現場で稼働する多種多様な機械を対象とするオープンＣＰＳへと発展する。そこに至る経路は

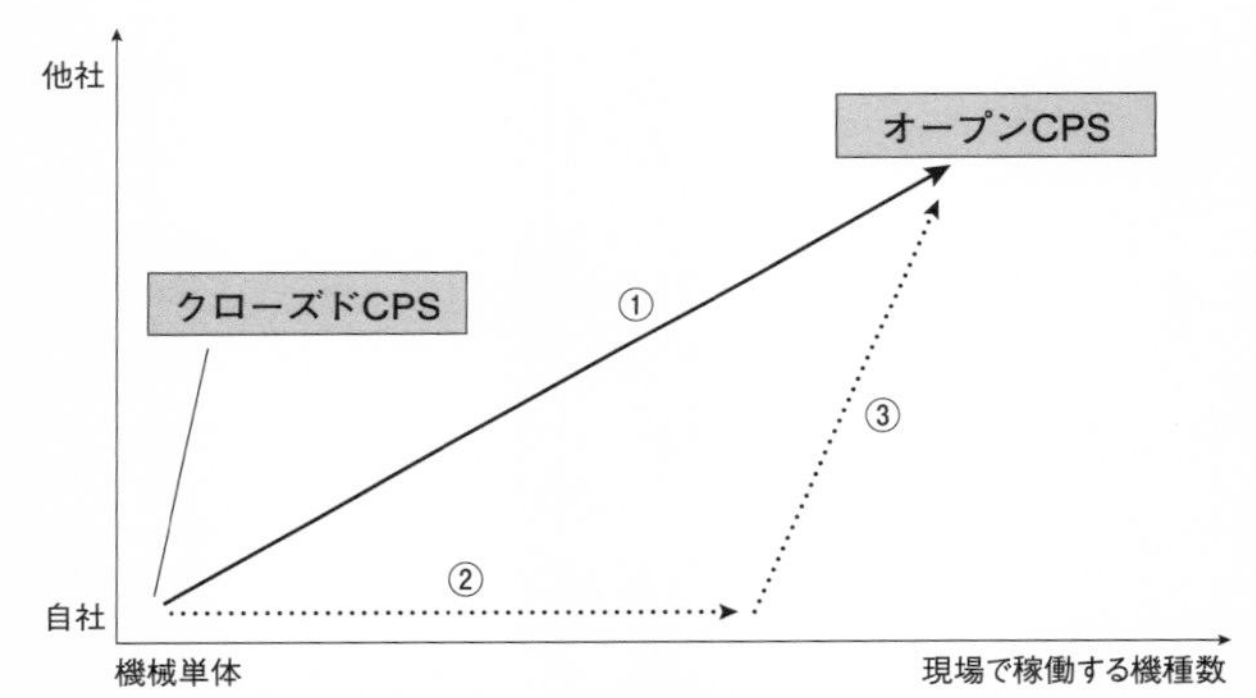

出所：著者作成

図表8-1　CPSの発展経路

二種類存在する。クローズドＣＰＳから直接オープンＣＰＳへと至る経路、つまり①の経路と、まず自社機械だけで現場を連結しその後に他社機械をつなげてオープンＣＰＳへと至る経路、つまり、まず②を辿り、次に③を辿る経路だ。現実にどの経路を辿るのかは産業特性と現場特性に依存する。

以降では、建設機械大手コマツを例にとり、建設現場を対象にしたＣＰＳがどのような発展経路を辿ったのかを紹介しよう。

8・2　コマツに見るCPSの発展経路

コムトラックス（KOMTRAX：Komatsu Machine Tracking System）——リアルタイムで建機を遠隔監視する

建設CPSは、コムトラックスから始まったと言って良いだろう。コムトラックスとは一言で言えば、建設機械にセンサーやGPS（Global Positioning System 全地球測位システム）を組み込み、それを使って、建設機械を遠隔監視・制御するシステムである。

2000年代初頭のコムトラックス開発初期は、単なる位置情報と稼働状況しか把握できなかったが、それ以降のデジタル技術の急速な進歩を取り込むことによって、コムトラックスの性能・機能も大きく向上し、現在では様々な機械情報が遠隔監視・制御できるようになった。

現在は世界に40万台以上稼働しているコマツ製の建設機械の現在位置や稼働時間、燃料の残量、作業負荷、機械の異常、部品の摩耗状況、オイル等消耗品の状況など機械に関する

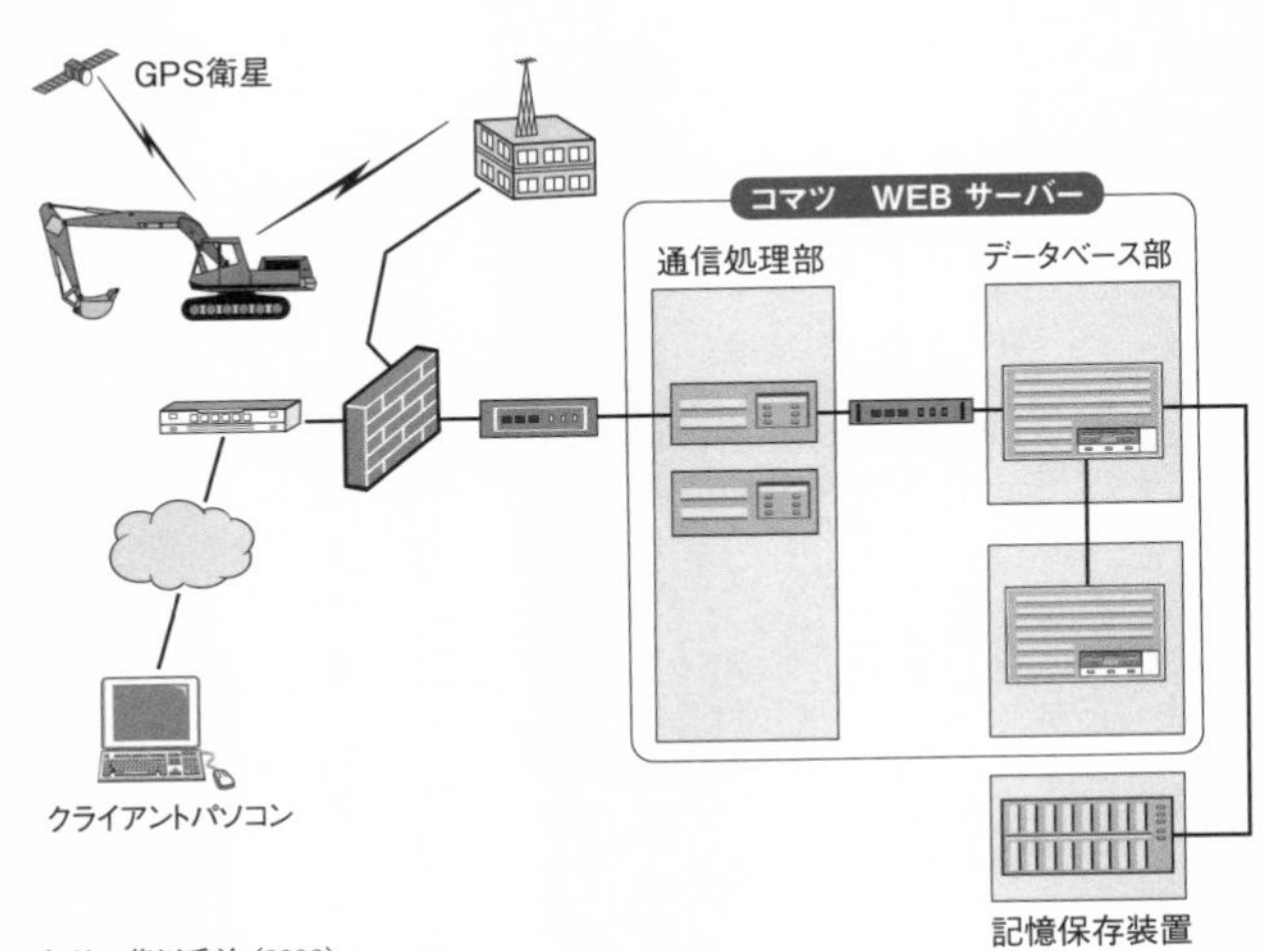

出所：荒川秀治（2002）

図表8-2　KOMTRAXの全体概要

様々なデータを、わざわざ建設現場に行かなくても、販売代理店や顧客が遠隔から把握できる。

特に重要なのは、部品の摩耗状況をリアルタイムで遠隔診断できる点であろう。故障する前にその予兆を察知して部品を事前交換することで、ダウンタイムを限りなくゼロに近づけることができるからだ。

建機は高価な設備投資であるから、そのダウンタイムをできるだけ少なくすることが顧客の重要な要望になる。建設現場で建機が突発故障してしまえば、仕事を中断せざるを得なくなってしまう。そのため従来は、壊れた後でどれくらい迅速に部品交換できるのかが、建設機械メーカーの重要な能力の一つであった。

例えばコマツの長年のライバルである米国のキャタピラーは、世界中どの場所であっても24時間以内に部品交換に駆けつけますということを宣伝文句にしていた。それを実現するためには、広範な代理店網の構築と補修部品の在庫管理が必要になるが、それを構築していることがキャタピラーの強みだったのである。

しかしコムトラックスの登場はその強みを一変させた。コムトラックスを使えば、部品が故障する前にそれを察知して交換できる。壊れた後の部品配送能力の重要性が低下し、それに代わって、故障時期の予測精度が重要になったのである。予測値が甘すぎると部品は故障してしまうし、予測値が厳しすぎるとまだ使える部品を交換することになりコストアップにつながる。予測の精度を高めることはなかなか難しいのである。

予測精度を高めるにはどうしたらいいのか。そのためには多数の建機からのデータ蓄積が重要になる。質が高いデータが多く蓄積されるほど、ＡＩによる予測精度は一層高まるからだ。２００２年、コムトラックスを標準装備してすべてのコマツ建機からのデータ蓄積・分析を可能にしたことは、予測精度の向上に一役買ったはずだ。ここで見られるのは、建機のデータをサイバーで分析し、それをまたフィジカルで活用するという一連の循環である。

コマツにとって幸運だったことは、２０００年初頭から始まった中国市場の急速な成長に、コムトラックスの導入が間に合ったことである。コマツの建機であれば、広い中国のどこにいてもその稼働状況がわかり、コマツとその代理店はリアルタイムで中国全土に散らばる建機の稼働状況をつかむことができた。

さらに中国では高価な建設機械の盗難が多いのだが、ＧＰＳが付いているために建機の場所がすぐわかり、盗難防止にもなった。また代金返済の不履行があれば、コマツは遠隔操作でエンジン始動を強制的にロックすることもできた。コムトラックスを使えば、広大な中国全土で稼働しているコマツの建機に対して、そのような遠隔制御を行うことができたのである。

その意味で確かにコムトラックスは、生産性や顧客価値の大きな向上につながった。しかしあくまでも機械単体でのクローズドな循環にとどまっている。多種多様な機械が稼働する建設現場を全体最適なものにするためには、機械単体を対象にしたフィジカルとサイバーの循環だけでは不十分だったのである。

スマート・コンストラクション——建設現場全体へ

次にコマツが取り組んだのが、２０１５年に発表したスマート・コンストラクションである。これによって建機単体から現場全体へとコマツはカバーする領域を大きく広げた。

その狙いは、建設現場で稼働する建機、現場作業員、現場の土量など建設現場に存在するすべてのものをＩＣＴで有機的につなげて、建設現場全体のプロセスを３次元で「見える化」し、それによって作業プロセス全体の生産性を向上させることだ。

建設現場の作業全体が、どのような作業から構成されているのかという全体像を、簡単に紹介しよう。

まず施工の準備段階として、施工現場の現況をできるだけ正確に測定する必要がある。いわゆる現況測量である。そして測定した現況データと施工計画データを照らし合わせることで差分を計算して、施工する範囲や土量を正確に把握して施工計画図面を作成する。

その後、施工計画図面に基づいて、工期やコスト等の施工条件を操作して施工計画の様々なシミュレーションを行う。実際に施工が行われるのはこの後であり、コマツの建機が実際に使われるのはこの段階になってからである。この段階では、建機を使って掘削する仕事以外に、ダンプで土砂を運搬する作業など、複数の種類の仕事が切れ目なく有機的につながる必要がある。

このように建設現場での作業全体のプロセスは、事前の現況測定から実際の施工まで複数の工程がつながっているので、コマツの商品である建機の自動化と無人化をいくら進めても、必ずしも全体最適には直結しないのである。ボトルネックが他の作業にあると建設現場全体の生産性は向上しないからである。

実際のところ、スマート・コンストラクションの提供に先駆けて、コマツは２０１３年からＩＣＴ建機を市場に投入したが、建設現場の作業プロセス全体の生産性向上にはつながらなかったという経験を持っていた。ＩＣＴ建機が担当する掘削作業自身の生産性は確かに高まった。しかし建設現場には、ボトルネックが他にあったからである。

コマツ自身のこのような経験を踏まえて、ＩＣＴを活用して建設現場の全体最適を実現しようとするのがスマート・コンストラクションである。図表８－３はそれを示している。

例えば既に説明したように、施工の準備作業として現況測量がある。現況測量をいかに高精度にかつ効率良く行うかがその後の作業全体に影響を与える。従来は、設計図面をもとに各測点の測量を行い、平均断面法やメッシュ法によって施工土量の算出を行ってきた。

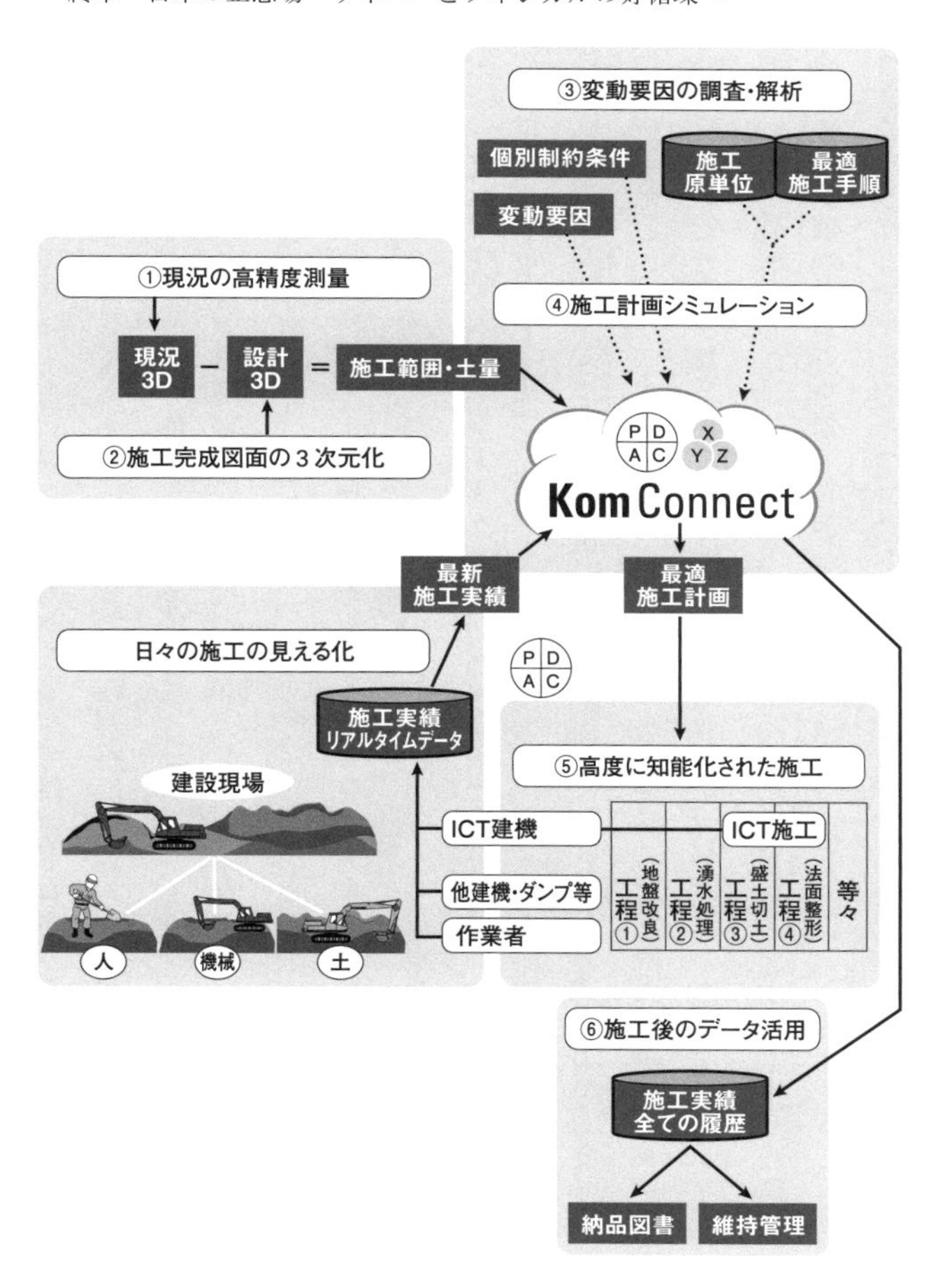

出所：四家千佳史他 (2015)

図表8-3　スマート・コンストラクションの俯瞰図

それに対してスマート・コンストラクションでは、ドローン測量を行う。施工現場の上空にドローンを飛ばして、事前に入力した飛行経路に従って自動で飛び、自動的に施工現場を写真撮影する。そして空撮した写真をKomConnectというクラウドサーバーへアップロードして、空撮写真から自動的に3次元の点群データを作成する。

この時に使用するのが、シリコンバレーベンチャーとの連携でコマツが開発したEdge Boxだ。Edge Boxは、工事現場に設置するワークステーションだが、ドローンで撮影した画像を3次元データに変換して、クラウドに送信する。これによって、従来の現況測量に比べるとはるかに効率的で高精度な施工土量の算出が可能になった。

さらに、工事を実際に開始してからの施工中、スマート建機の稼働データは先述したKomConnectに転送されて進捗状況に反映される。日々の進捗状況が工事現場に関する3次元データとしてリアルタイムで可視化されるのである。建機の稼働データがサイバー空間のクラウドで分析され、そこで可視化された進捗状況が現実の建設現場にフィードバックされるのだ。建設現場は進捗状況を3次元で見ることで具体的イメージをつかむことができ、その後の工事の進め方を効率的かつ効果的に検討できる。

このように、スマート・コンストラクションは、建設現場全体を対象にしたCPSなのである。だが、その対象はあくまでもコマツの機械・機器に限定されていた。現場全体を対象にしてはいるが、その意味でクローズドなＣＰＳであり、コマツ以外の機械を連結させることはできない。このままでは、コマツ以外の機械や計測器、そして車両等が稼働する現場全体を最適化することはできないのである。

「ＬＡＮＤＬＯＧ」（ランドログ）――オープンＣＰＳへ

このような限界を打ち破るために、その後コマツはクローズドからオープンへ大きく舵を切り、２０１７年にオープンなＣＰＳ「ＬＡＮＤＬＯＧ」を発表した。建設現場で動く機械にはコマツ以外のものが数多くあるため、現場全体のプロセスを横断的につなぎ全体最適化するためには、スマート・コンストラクションだけでは不十分だったからである。

このような課題を解決するため、コマツは２０１７年10月に株式会社ＮＴＴドコモ、ＳＡＰジャパン株式会社、株式会社オプティムと共同で株式会社ランドログ（以下、ランドログ社と記す）を設立し、同社を通じてオープンなＣＰＳの企画・運用を行うことを発表した。その後２０２１年７月に社名をアースブレインに変更したが、本書ではランドログを使う。

ランドログ社が提供する「LANDLOG Platform（以下、ＬＡＮＤＬＯＧと記す）」は、調査・測量・設計・施工・メンテナンス等の建設プロセス全体に関わるデータを収集し、ＡＩ等を活用して分析することで、建設現場に必要なあらゆるサービスを、施工業者等の顧客に対してワンストップで提供することを目指している。コマツの機械だけではなくて、建設現場で稼働するあらゆる機械をつなげるためである。アップルのスマホに例えて言えば、建設会社や施工業者向けの App Store を作ろうとしていると考えるとわかりやすいだろう。

そのためには二種類のパートナーとの協力が必要になる。ＬＡＮＤＬＯＧではそれらのパートナーを、現場のデータを収集し蓄積するＩｏＴパートナーと、サイバー側でデータを活用して様々なアプリを提供するアプリケーション提供者と称している。ＩｏＴパートナーは、建設現場で稼働する 様々なメーカーの多種多様な機械から得られる各種データを、ＡＰＩ（Application Programming Interface）経由でＬＡＮＤＬＯＧに収集し蓄積する。ＬＡＮＤＬＯＧはそのようにして蓄積された大量データを、人工知能などを使って分析し、３次元データやＡＰＩの形にしてアプリケーション提供者に公開する。そしてアプリケーション提供者は、ＬＡＮＤＬＯＧに蓄積された様々なデータをＡＰＩ経由で活用して、現場の生産性と安全性を向上させる様々なアプリを開発し、施工会社をはじめとするユーザーに対して提供する。

図表8－4（次ページ）はLANDLOGの概念図を示している。ポイントは、現場データを蓄積するためのAPIとデータを活用するためのAPIという二種類のAPIを持っており、二つのAPIに挟まれるようにして共通基盤としてのプラットフォームが存在するという点だ。前者のAPIはフィジカルとプラットフォームをつなぐ役目を果たし、後者のAPIはサイバーとプラットフォームをつなぐ役目を果たしている。

野路國夫氏（LANDLOG発表当時　コマツ取締役会長）はLANDLOGに向けた企業間提携の目的を次のように語っている。「顧客の生産性や安全性を高めるアプリは、アプリ提供者が互いに競い合って高い価値を提供すればよいが、プラットフォームはオープンでなければだめだ。そこでIT企業と手を組んだ」。

そこでコマツはLANDLOGの運営に際して、できるだけコマツ色を薄めて中立的存在であろうとしている。これは、コマツが強力なリーダーシップを発揮するのではなくて、何かを決める時は幹事社同士の合議制で意思決定するということを意味する。後述するが、ここはオープンCPSの統治メカニズムに関しての重要な論点の一つである。

ランドログ社の取り組みは始まったばかりであり、今後、建設現場を対象にした同様のオ

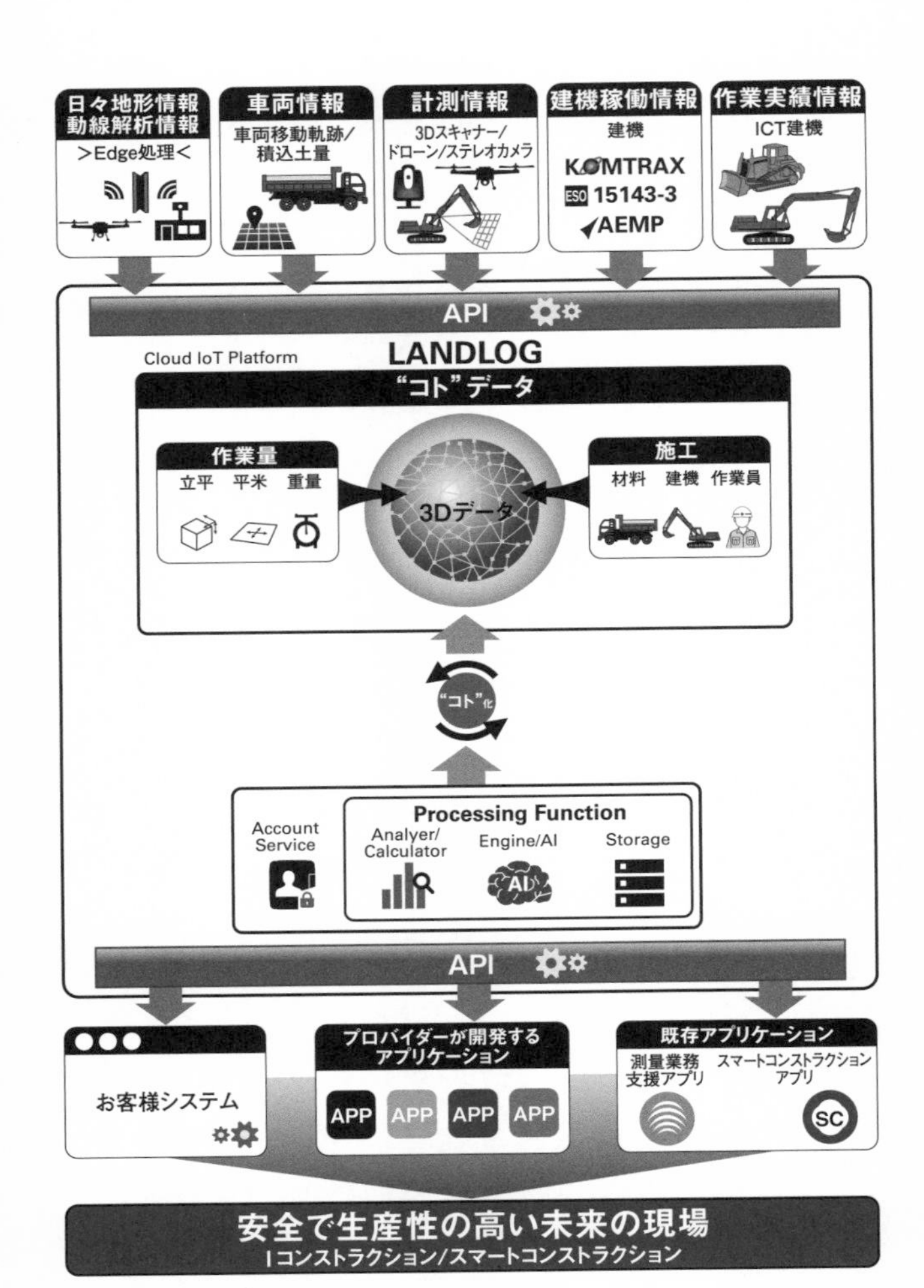

出所：コマツ　ホームページ

図表8-4　LANDLOG の概念図

ープンＣＰＳが他社からも提唱されることになるはずだ。そうなるとオープンＣＰＳ間競争が展開されるに違いない。この成否は、ＩｏＴパートナーやアプリケーション提供者になる協力者がどの程度得られるか、そしてどの程度魅力的なアプリが開発されるのかにかかっている。

ここで以上の一連の流れを簡単に整理しておきたい。建設現場を対象にしたコマツのＣＰＳは、次のような軌跡を辿って発展したことを確認できる。ＣＰＳはまず、デジタル技術を組み込んだ機械単体で循環するクローズドなＣＰＳとして始まる。次に、自社の機械に限定されてはいるが、循環する対象を現場全体へと拡張して全体最適を実現しようとする動きが始まった。そして最終的には、建設現場で稼働するあらゆるメーカーの機械を対象にしてフィジカルとサイバーを循環するオープンＣＰＳへと到達した。コマツによる前記の開発の軌跡を、図表８‐１（２１４ページ）の発展経路に照らしてみると、②そして③の経路を辿ってオープンＣＰＳへと到達したことがわかる。

8・3　CPSアーキテクチャーの特徴

三階層から成るアーキテクチャー

現実には各産業の現場ごとにCPSの発展段階は異なる。しかし今後、機械・機器のデジタル化が進展するにつれて、多くの現場で全体最適化を目指すオープンCPSを主導する競争が始まるはずだ。先んじてアーキテクチャーを制するものは、競争上極めて有利な位置に立つことになるが、オープンCPSはどのようなアーキテクチャーになるのか。

アーキテクチャーとは、システムとしてのCPSを、どのように分割し、そして分割したものをどういうインタフェースでつなぐのかという二つの観点から、全体の構想を決めることである。そしてシステムを構成する個別要素の中身ではなくて、全体のつながりや関係性に着眼するのがアーキテクチャー策定の特徴であった。

そのような観点から考えると、CPSを機能ごとに三つの階層に分割して、それらを一定のルールで連結することが妥当であろう。図8-5は、そのようなアーキテクチャーの概念

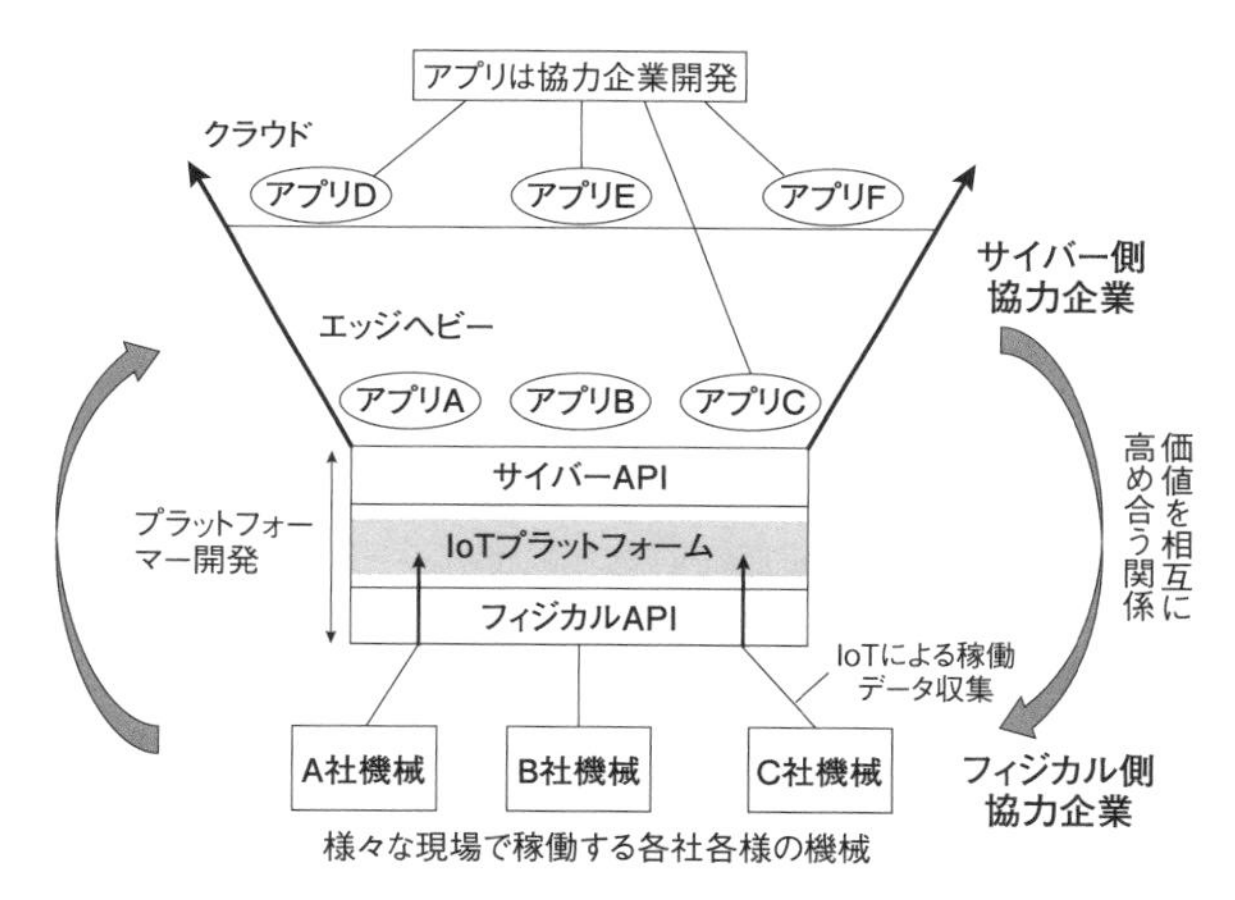

出所：著者作成

図表8-5　オープンCPSのアーキテクチャー

図を示したものである。

まず、フィジカルとサイバーの二つの世界に挟まれるようにして、ＩｏＴプラットフォーム階層が中央に存在する。ＩｏＴプラットフォームは二つの世界を媒介し、データを一元管理する共通基盤としての役目を果たす。二つの世界はＩｏＴによって媒介されるという意味で、この共通基盤階層をＩｏＴプラットフォームと称する。フィジカルとサイバーを循環する多種多様なデータは共通のデータ仕様に変換され、基盤としてこの階層に蓄積されるのである。

ＩｏＴプラットフォームとフィジカル世界の接点に存在するのが、フィジカルＡＰＩ階層である。フィジカルの現場は、生産現場であれ、建設現場であれ、実に多様な機械・機器が稼働しており、それらがセンサー経由で発するデータ仕様は実に様々である。その多様な世界と、標準化して一元管理するプラットフォームの世界をつなぐのがフィジカルＡＰＩである。

ＡＰＩの実体はソフトウェアであり、いわゆるサブルーチンと言われる機能単位ごとのソフトウェアの集合である。サブルーチンとは、入力と出力が明示されて、一つの完結した役割を果たす機能単位である。ＡＰＩの中には各機能に対応した多数のサブルーチンが存在しているが、入出力の変数が明示されてルール化されている。その意味ではＡＰＩ自身のアーキテクチャーが、モジュール型なのである。ポイントは、ＩｏＴプラットフォームへのアクセスは、必ずＡＰＩを経由しなければならない仕組みになっているという点であり、これによってルールが順守されている。

同様に、ＩｏＴプラットフォームとサイバー世界の接点には、サイバーＡＰＩ階層が存在している。フィジカルＡＰＩ同様に、モジュール化された多数のサブルーチンから構成されており、ＩｏＴプラットフォームとサイバー世界のすべてのやりとりはこのＡＰＩを経由して行われる。サイバー側からＩｏＴプラットフォームへアクセスする際には、必ずサイバーＡＰＩを経由しなければできない仕組みなのである。

ＣＰＳを主導する企業は、いわゆるプラットフォーマーとして、ＩｏＴプラットフォームの構築と、それをサイバーとフィジカルの世界に開くためのＡＰＩをそれぞれ提供し、自らが主導するＣＰＳを繁栄させようとする意図を強く持つはずだ。だがＣＰＳを繁栄させることは、プラットフォーマーだけではできない。フィジカルとサイバーそれぞれの世界に、プラットフォーマーに協力する企業群が必要になる。これらの企業群はＣＰＳを繁栄させるために、それぞれ役割を分担している。

サイバー側協力企業群の役目は、必要なサイバーＡＰＩを使って、魅力的なアプリをエンドユーザーに向けて開発することだ。スマホの世界では、多くの企業がアプリを開発してユーザーに提供しているが、それによって当該スマホの価値が高まるのと同じだ。

アプリ開発を促進するために、プラットフォーマーはサイバー側協力企業に対して、アプリ開発用キットであるＳＤＫ（Software Development Kit）を提供する。協力企業はこのＳＤＫを使用すれば容易にアプリを開発できる。サイバーの主役はデータでありソフトである。

他方でフィジカルの世界には、多様な機械・機器が稼働している。ここでの協力企業は、自社の機械・機器がＣＰＳに連結して稼働情報等をＩｏＴプラットフォームに提供できるように、コンバーターと言われるソフトを開発する。コンバーターとフィジカルＡＰＩによって、自社機械・機器の稼働情報が共通仕様に変換される。

CPSアーキテクチャー設計のもう一つの重要なポイントは、フィジカル世界で吸い上げたデータを、エッジで分析・処理するのか、あるいはクラウドまで上げて分析・処理するのかという判断である。既に触れたように、それは対象とする現場特性に応じて、リアルタイム性とセキュリティという観点から判断する必要がある。これらの観点から見て必要度が高いデータの場合、クラウドではなくエッジでデータ分析・処理を行う方が合理的である。

ここで提示したCPSアーキテクチャーの重要なポイントは、階層間のインタフェースが明示的にルール化されたものだという点と、API階層自身がサブルーチンの集合としてモジュール化されているという点の二つだ。つまり、モジュール・アーキテクチャーの入れ子構造になっているという点がCPSアーキテクチャーの特徴である。

現実には多様な現場が存在する。コマツの例で見たような建設現場、後述する医療現場や生産現場、そして自動運転の走行現場等の多様な現場が存在し発展段階も様々である。

そのような多様性の中であっても、共通して存在する枠組みがこのアーキテクチャーなのである。実際のところ、既に紹介したコマツのオープンCPSでは、サイバー側とフィジカル側にそれぞれAPIが存在しており、それらに挟まれてLANDLOGというIoTプラットフォームが存在していた。

8・4　オープンCPSに向かう医療現場[*1]

医療の手術現場に着目すると

少し唐突に思えるかもしれないが、医療の手術現場に目を転じてみると同様の風景が見えてくる。現在の手術現場は、メーカーが違う多種多様の膨大な医療機器に取り囲まれているという点で、既に紹介した建設現場や生産現場と事情はまったく同じなのである。

先進的な医療機器というと何が思い浮かぶだろうか。既に紹介した富士フイルムのデジタル画像診断装置は、間違いなくその一つである。また、人体の断面図を投影できるCTスキャナーも、X線発見以来と言われる医療技術の革新であり、開発者たちは1979年にノーベル賞を受賞した。最近の例では、手術支援ロボット「daVinci」（ダビンチ）がすぐに思い浮かぶかもしれない。既に国内で200台以上が稼働しており、前立腺全摘出の有望な手術法として確立されつつある。

しかしこれらはあくまでも医療機器単体としての革新だという点に注意が必要であろう。膨大な医療機器に取り囲まれた中で、時々刻々と進行する手術全体の流れを最適化できるかどうかは、別の観点からの検討が必要になる。

手術現場では大きく言うと以下の四種類の医療機器が必要になる。まず患者の状態をリアルタイムでチェックする血圧測定や麻酔記録等がどうしても必要だ。さらに患部の状態を詳細に診断する顕微鏡、ＭＲＩや超音波診断装置等も必要だ。そして実際に治療や手術を行う医療機器として、電気メスや手術支援ロボット等だ。最後に、手術を行う手術者の動作等を補助・支援する機器として、治療器具の手渡しや、手ぶれの補助等を行う機器が必要になる。

手術現場では、これらの医療機器から多種多様な膨大な治療情報が生み出されており、医療従事者はこれらの医療情報をもとにして、限られた時間内に時々刻々と判断しながら治療を行っている。

しかし従来は、医療機器はスタンドアローンのままで相互接続されていないために、個別機器ごとに生まれる医療情報は分断されたままであり、手術の進行状況や患者の状態を総合的に把握し、スタッフ間で共有することが難しかった。手術全体の流れがどこかのボトルネックによって停滞し、それが手術ミスの一因となることもあった。ちょうど建設現場で、ブルドーザーやトラック等の機械が連動することなく単体で稼働しているようなものだ。

そこで、これらの医療機器を相互接続させることで医療情報全体を共有して、患者の状況や手術の進行等をリアルタイムで総合的に把握しようとするのが、スマート治療室ＳＣＯＴ(Smart Cyber Operating Theater)である。これは医療現場向けの医療版サイバーフィジカルとでも言うべきものであり、これによって全体最適化を図り手術の安全性と精度を高めることが目的である。

では、異なるメーカーの医療機器をつなぐにはどうすればいいのか。その解決原理は、医療現場であろうと、建設現場であろうと同じだ。共通基盤となるプラットフォームを構築し、それを挟んでサイバーとフィジカルの二つの世界との境界にＡＰＩを作ることである。

ここで興味深いのは、製造業の生産現場で実績のあるソフトウェアＯＲｉＮ(Open Resource interface for the Network)を医療向けに改編して、ＳＣＯＴのプラットフォームとして採用したという点だろう。つまり日本のすぐれた生産現場のノウハウを医療現場に転用したのである。生産現場では、多種多様な機械をつなぐための試行錯誤が長年にわたって行われ、ノウハウがソフトとして蓄積されているからである。実際のところ、そのプラットフォームOPeLiNKは、自動車産業の大手部品メーカーであるデンソーを中心として開発された。

医療CPSでも、プラットフォーム以外に、サイバーとフィジカル二つの世界にそれぞれ協力企業が必要であり、役割を分担しながらCPS全体を作り上げている。サイバー側協力企業はアプリを開発し、フィジカル側協力企業は自社の医療機器をOpeLiNKに接続できるようにする。この点では他のCPSと変わるところは何らない。

医療用オープンCPSとしてのSCOTは多くのメリットを持つが、代表的なものを二つ挙げておこう。

一つめは手術のプロセス全体が時系列の治療データとして、丸ごと映像とともに保存できるという点である。これによって治療に起因する合併症の原因探索や、医療過誤が発生した際の原因究明を行うことができる。さらにそれらを手術室外の医療従事者と共有することで、治療の安全性や効率を高めることができる。

二つめは、リアルタイムな手術中情報の提供により、診断と治療の融合が可能になるという点だ。手術中は時々刻々と患者の状態が変化するために、それに応じて臨機応変に治療判断を変える必要がある。SCOTでは手術行為の結果は即座に手術者にフィードバックされるために、状況変化に応じた最適な解決法を見出すことができる。つまり精密に誘導する治療が可能になるということだ。

このようなメリットを持つＳＣＯＴは、まず２０１６年にはベーシックなものが広島大学に導入され、その後、アップデートされたものが信州大学や東京女子医科大学に順次導入されており、現在発展途上である。図表８‐１（２１４ページ）の発展経路に照らし合わせると、医療現場は現在①の途上でありオープンＣＰＳへ向かっていると理解できる。ただし、人命に関わる医療機器であることから、社会実装を今後進めるためには薬機法等の医療関係規制をクリアする必要があるという点も指摘しておきたい。

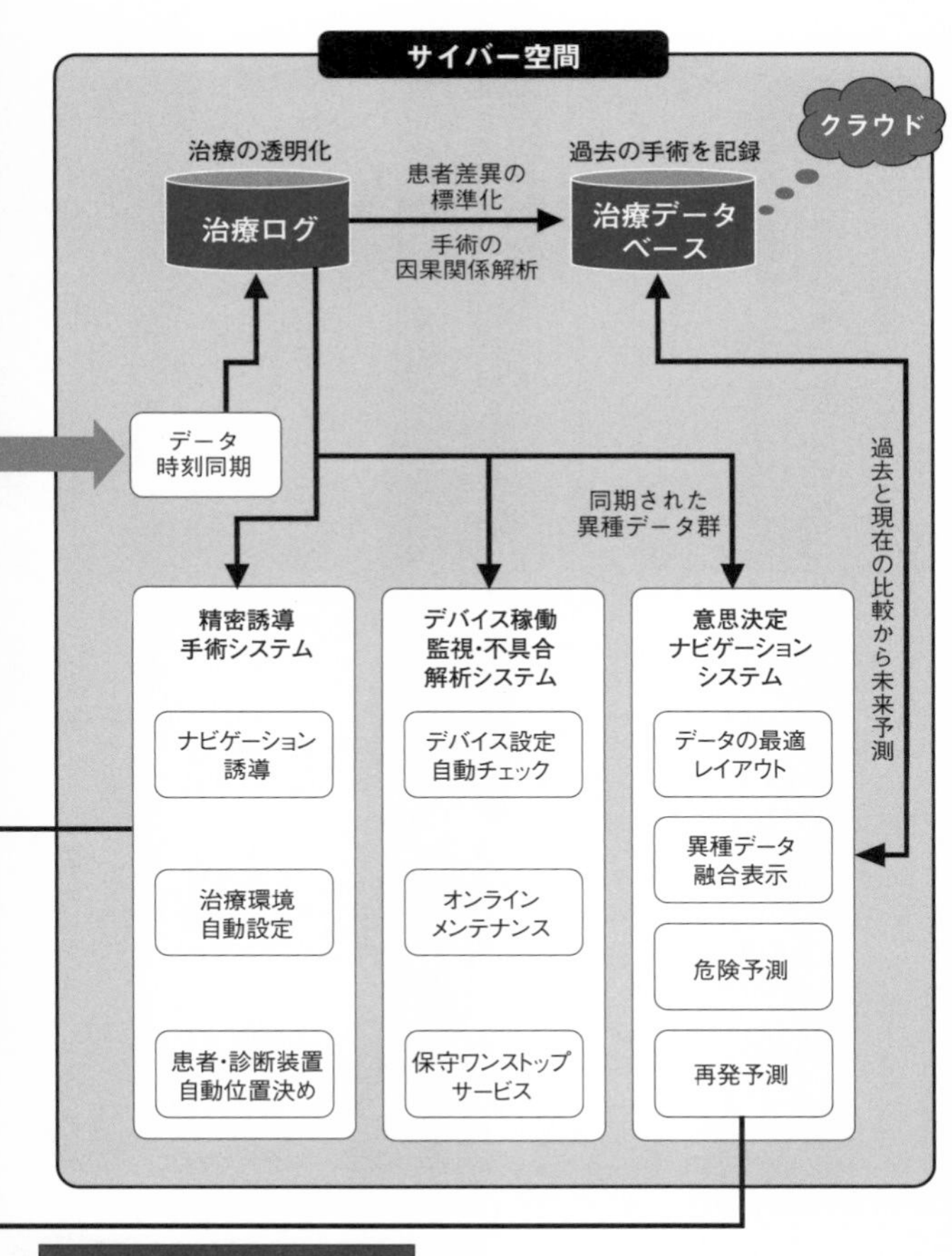
サイバー空間
クラウド
治療の透明化
治療ログ
患者差異の
標準化
手術の
因果関係解析
過去の手術を記録
治療データ
ベース
データ
時刻同期
同期された
異種データ群
過去と現在の比較から未来予測
精密誘導
手術システム
ナビゲーション
誘導
治療環境
自動設定
患者・診断装置
自動位置決め
デバイス稼働
監視・不具合
解析システム
デバイス設定
自動チェック
オンライン
メンテナンス
保守ワンストップ
サービス
意思決定
ナビゲーション
システム
データの最適
レイアウト
異種データ
融合表示
危険予測
再発予測
サイバーとフィジカルをつなぐ
共通基盤として
OPeLiNKが存在する

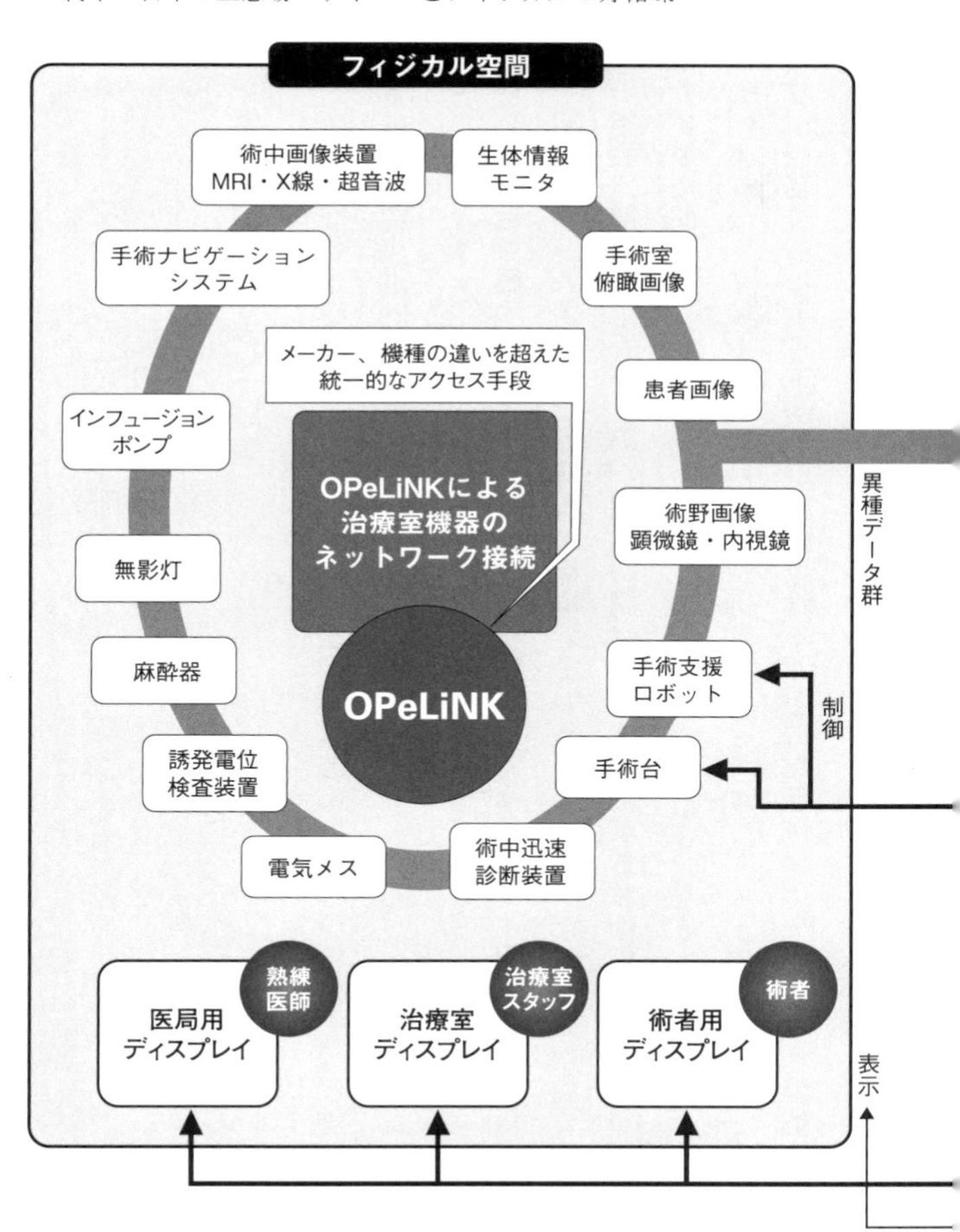

出所：岡本(2017)を一部修正

図表8-6　医療現場CPSのイメージ

8・5 ファナックと三菱電機のオープンCPS

生産現場のCPS競争

生産現場はサイバーとフィジカルの循環が最も進んでいる現場の一つと言っても良く、CPSに関して先進的な取り組みが行われている。

生産現場とは、工作機械や産業用ロボット、そしてPLCなど多種多様な機械が連動しながら有機的に稼働するシステムである。機械は通常複数のメーカーから提供されており、しかも開発時期が大きく異なる機器が稼働しているのが一般的だ。生産現場で稼働する機械の耐用年数は通常10年近いため、開発時期が異なる機械が多数稼動しているのが生産現場の一つの特徴である。

そのような生産現場を全体最適に制御しようとすれば、オープンなCPSの構築が目標になり、それを巡る主導権競争が展開されることになる。ファナック、三菱電機、DMG森精機、独シーメンスの業界主力4社は既に独自のオープンCPSを提唱しているが、ここでは、

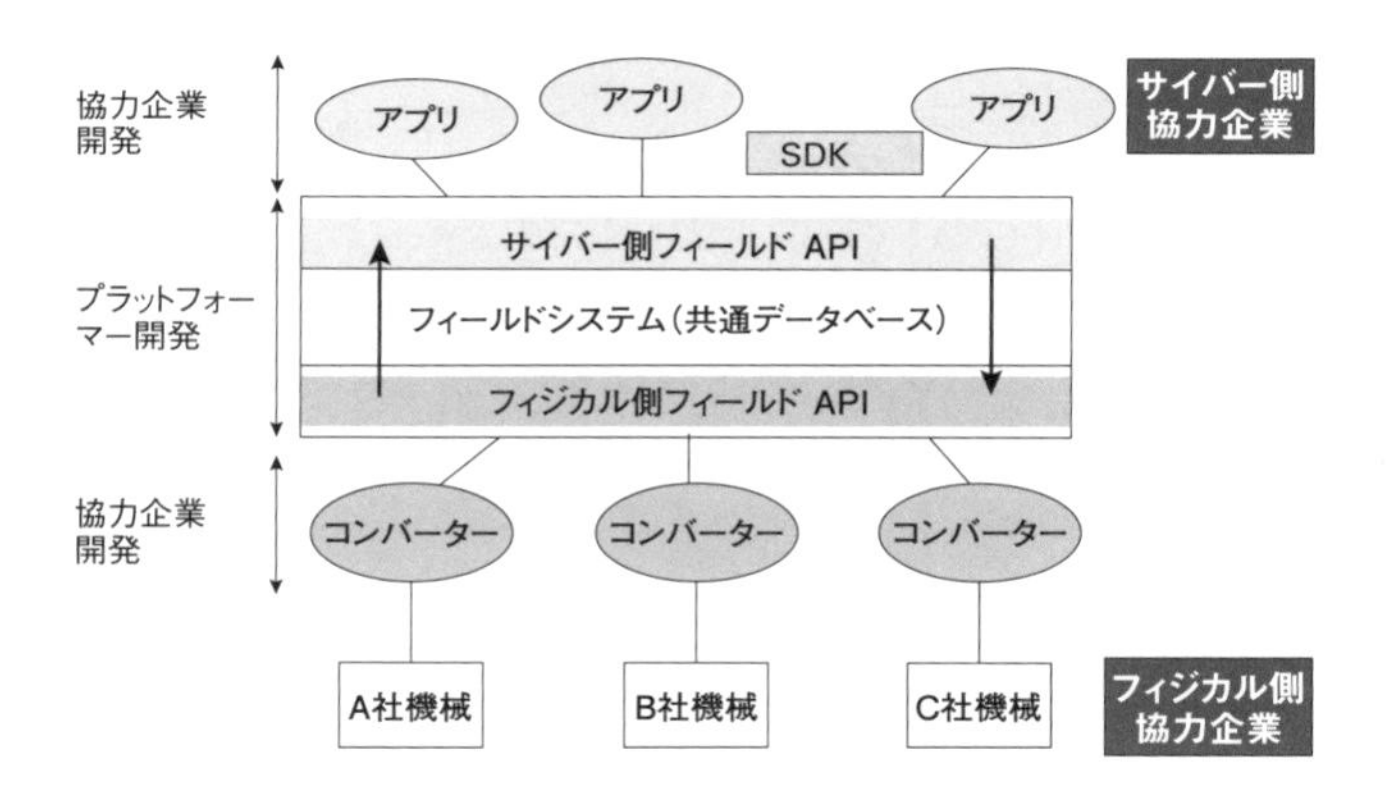

出所：須藤雅子他（2019）を一部修正

図表８-７　フィールドシステムのアーキテクチャー

ファナックと三菱電機がそれぞれ提唱しているオープンＣＰＳのアーキテクチャーを紹介する。

２０１７年ファナックは、エッジヘビーとオープンという二つの特徴を持つ生産現場ＣＰＳを市場に投入した。それはＦＩＥＬＤ（FANUC Intelligent Edge Link and Drive）System（フィールドシステム）と呼ばれる。なぜクラウドではなくて、機械近傍でデータ処理を行うエッジヘビーのアーキテクチャーを採用したのか。生産現場で高速に稼働する機械を適切に制御するには、リアルタイム性とセキュリティに優れている方式が望ましいからだ。

図表８-７は、フィールドシステムのアー

キテクチャー概念図を表しているが、前述したＣＰＳアーキテクチャーと同様に、三つの階層から構成されていることがわかる。もちろん名称は違う。ＩｏＴプラットフォームに相当する階層をフィールドシステムと称し、ここは共通基盤となる共有データベースを管理する。フィジカルとサイバーの二つの世界をプラットフォームとつなぐためのＡＰＩは、ともにフィールドＡＰＩと称されている。

また、生産現場で稼働する多種多様な機械をつなげて、共通のデータ仕様に変換するためにコンバーターが必要であり、フィジカルＡＰＩと接続している。フィールドシステムに参画する協力企業は、サイバーＡＰＩを使用して様々な機能を持つアプリを開発できる。エンドユーザーはこれら様々なアプリを使用して、自社の生産現場の遠隔監視や遠隔制御等ができる。そのためのアプリの開発環境をＳＤＫとして、ファナックはサイバー側協力企業に提供している。

プラットフォーマーとしてのファナックが、共通基盤としてのフィールドシステムと、二つの世界に開かれた窓としてのＡＰＩを提供する。一方で、サイバーとフィジカルの協力企業群は、それぞれの役割分担を果たしている。このような仕組みによって参加者が相互に補完しながらオープンなＣＰＳを支えているのである。

ほぼ同時期に、三菱電機もまたオープンＣＰＳであるEdgecross（エッジクロス）を開始したが、その特徴や仕組みはフィールドシステムと極めて類似していることが確認できる。例えば、誰でも参画できるオープン性と、エッジ領域での処理を中心とするエッジヘビーの2点を特徴としているという点では、競合するフィールドシステムと同じだ。こうした特性が似通っていることは何ら不思議ではない。ともに生産現場に対応したＣＰＳなのだから、特性も自然と似たものにならざるを得ないからだ。

エッジクロスのアーキテクチャー概念図を図表8－8（次ページ）に示すが、クラウドと生産現場の中間領域、つまりエッジ領域に位置することが確認できる。真ん中のエッジクロスと称する階層がＩｏＴプラットフォームに相当する。そしてエッジクロスを挟んで、フィジカル側とサイバー側にそれぞれインタフェースが存在しているが、これがＡＰＩに相当する階層だ。

従って三つの階層から構成されており、その点でもフィールドシステムと同じだ。データコレクタはコンバーターであり、生産現場の様々な機械が発するデータを共通フォーマットに変換してプラットフォームにつなげる。エッジクロスの協力企業群は、サイバーＡＰＩを使って独自のエッジアプリケーションを作成できる。プラットフォーマーとしての三菱電機

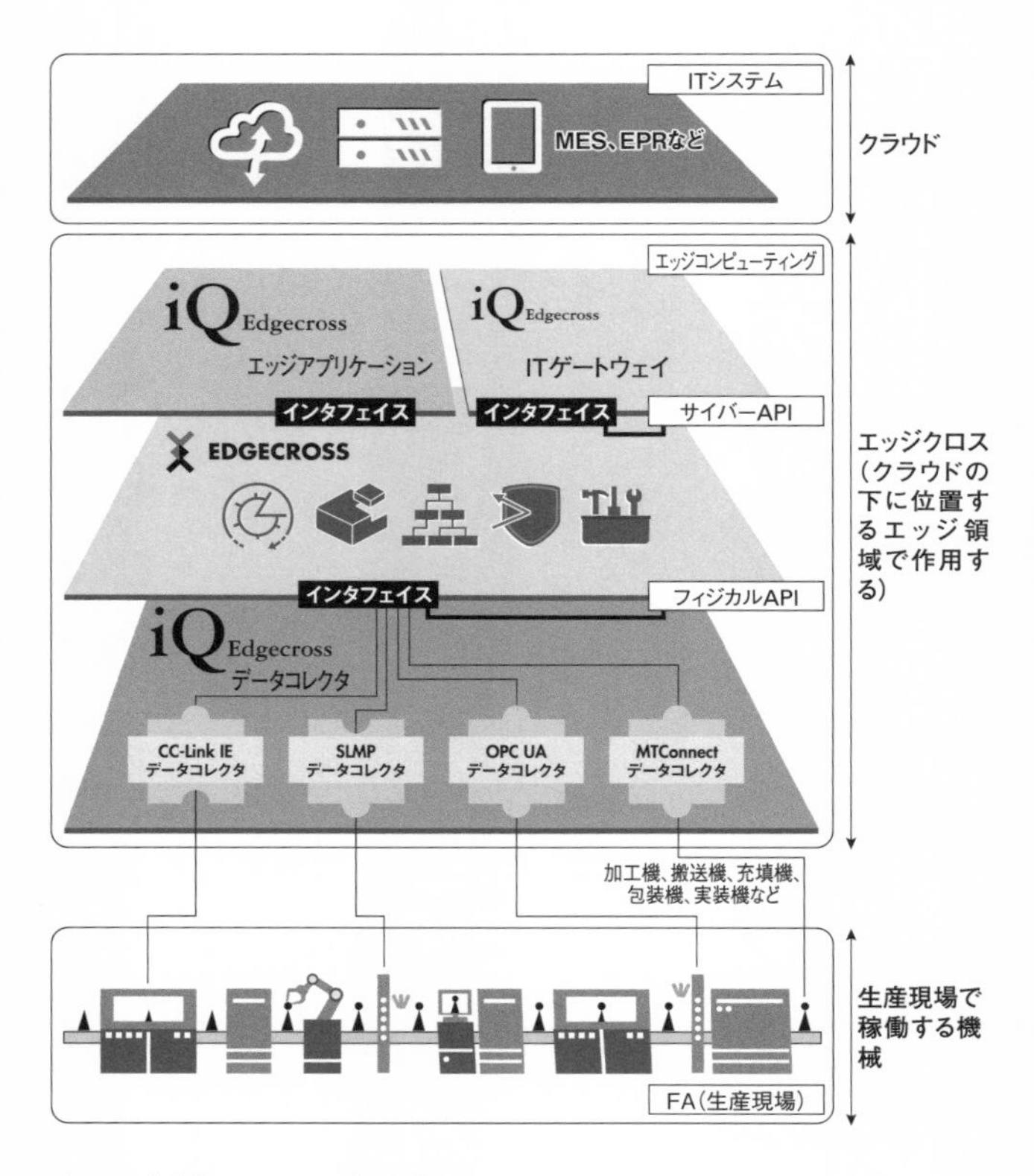

出所：三菱電機ホームページを一部修正

図表8-8　エッジクロスの アーキテクチャー

と、サイバーとフィジカルの協力企業群がそれぞれの役割を果たしながらエッジクロスというオープンCPSを支えている。

つまり、企業によって使う名称は様々だが、CPSの根本構造はファナックと三菱電機で共通しており、前述したCPSアーキテクチャーを共有している。

ファナックと三菱電機の違い

両社がそれぞれ提唱したオープンCPSは、極めて類似した根本構造と特徴を持っていることを確認した。だが、CPSを運用する具体的な仕組みについて、三つの大きな違いが存在することも事実である。

まず第一に、CPSの実体が違う。アーキテクチャーは同じだが、その具体的中身が違うということだ。プラットフォームに蓄積する共通データ仕様やAPIとのインタフェース、そしてAPIの実体としてのサブルーチンの機能や種類などが異なる。

これらの違いの中で、サイバー側協力企業に最も大きな影響を与えるものはAPIの違いであろう。協力企業はAPIを使ってアプリを作成する。CPSごとにAPIが違うということは、フィールドシステム用に作成したアプリが、そのままではエッジクロスでは機能しない、つまりアプリレベルでの互換性がないということを意味する。

この互換性のなさは協力企業に対してどういう影響をもたらすだろうか。それは、まったく同じ機能を持つアプリにもかかわらず、フィールドシステム用とエッジクロス用にアプリを作り変える必要が出てくることを意味する。それは例えて言えば、丁度スマホの世界でアップル陣営とアンドロイド陣営の間には、アプリレベルで果たして互換性があるのかどうかを思い起こしてもらうとわかりやすいかもしれない。

そして第二の違いは、アプリの品質管理の仕組みである。アプリとはエンドユーザーが直接操作する対象であり、ユーザーはアプリを経由してそのＣＰＳを経験し便益を味わう。アプリがどの程度便利な機能を提供しているのか、そしてどの程度きめ細やかなユーザーニーズに応えているのかが、ＣＰＳの評価に直結し、ひいてはＣＰＳの繁栄度合いにも影響を与えることになる。そのアプリの品質管理の仕組みに大きな違いが存在する。

フィールドシステムはファナックによる厳格な品質管理を行っているが、他方でエッジクロスはかなり緩やかな品質管理をしている。フィールドシステムでは、ファナックによる審査を経て合格しなければマーケットプレイスにアプリを出店することができない。他方、エッジクロスではそのような厳格な審査はなく、会員になれば自由に出店して売買できる。アプリの売買は市場に相当するマーケットプレイスを経由して行われるという点では共通しているが、品質管理の考え方に大きな違いが存在するのである。この違いは、スマホにおけるアップルとアンドロイドの違いのようなものだと考えればわかりやすいだろう。

第三の違いは、ＣＰＳの統治の仕組みである。フィールドシステムはファナックが全面的に主導権を取りファナック中心の統治メカニズムを採用している。アプリの品質管理でファナックが厳格な審査を行っているのもその一端の表れと言って良い。

他方、エッジクロスの場合、三菱電機を含む幹事会社7社による共同統治メカニズムを採用している。主導した三菱電機が表に出るのではなくて、２０１７年に設立された一般社団法人Edgecrossコンソーシアムが統治の前面に出ている。三菱電機色をできるだけ消して中立性を打ち出そうとする意図だと思われる。既に紹介したコマツのＬＡＮＤＬＯＧも同様に、複数の幹事会社による共同統治体制だったことを思い出して欲しい。

つまり1社が強力なリーダーシップを発揮するのか、共同で合議しながら統治をするのかという二つの統治メカニズムがＣＰＳには存在するということだ。これもまた、スマホの世界において、グーグル色を消しているアンドロイド陣営と、企業が前面に出て旗を振るアップル陣営の違いと類似していることに気が付くはずだ。

このように生産現場ＣＰＳの主導権争いを展開しているフィールドシステムとエッジクロスだが、共通点も多い半面、戦略の違いが生み出す相違点も少なくはないということだ。重要なのは、これらの戦略上の違いが今後の競争に一体何をもたらすのかということであろう。

8・6　主戦場となるＣＰＳを日本が乗り切るために

有形世界と無形世界の好循環へ

サイバーとフィジカルが融合するＣＰＳは、サイバーだけでもフィジカルだけでも不十分だ。両方の世界に関する知識と能力、そして経験が必要だ。日本は機械・機器のデジタル化をいち早く進め、機械の自動制御分野で豊富な先行経験を有していることからもわかるように、フィジカルに関する豊富な知識と経験を蓄積している。

従って二つの世界を融合させるＣＰＳは、純粋なサイバー世界の競争で大幅な後れをとった日本にとって、どうしても譲れない主戦場だと言って良い。今後、農業、建設、医療、スマートシティ等様々な現場で、有力企業が独自のオープンCPSとプラットフォームを提唱し、CPSを巡る主導権争いが展開されるはずだ。

既に触れたように、スマートシティを巡るトヨタとグーグルの動きはそれを象徴しているように思える。各業界の現場でオープンCPSを支配できるかどうかが、今後日本が直面する課題になる。CPS間競争の焦点は一体どこになるのだろうか。

一言で言うならば、フィジカルとサイバーの間でどうやって強いネットワーク効果を早く働かせて、多くの協力企業を巻き込むことができるのか、ということになる。ネットワーク効果とは、補完的な関係にある両者の間で、すなわちこの場合はサイバーとフィジカルの間で、相互に価値を補い合い高め合う力を言う。これは購買関係に伴う交渉力ではないからモノが付随して動くわけではない。だが補完的な関係にある両者の間には、確かに見えない力が作用しているのである。

より具体的に考えるために、図表8－9（次ページ）を見ていただきたい。オープンCPSは、プラットフォームを中心として、サイバーとフィジカルという二つの世界から構成される。サイバーの世界とは、データとソフトが主役になるという意味で形のない無形世界だ

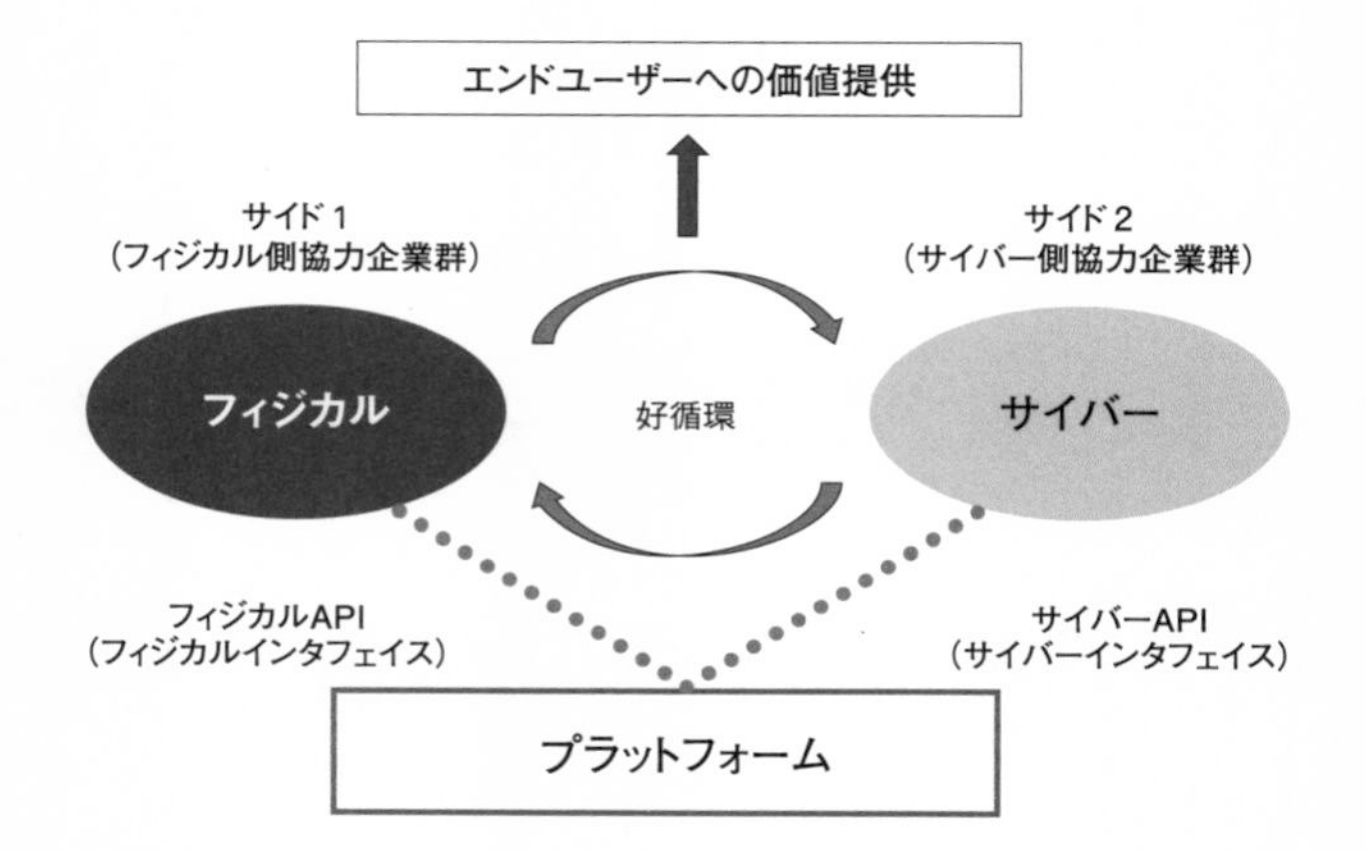

出所：著者作成

図表8-9　サイバーとフィジカルで働くネットワーク効果

と言える。他方フィジカルの世界は実体の世界であり、形を持つ有形世界である。

従ってサイバーだけでは片手落ちだし、フィジカルだけでも十分ではない。サイバーとフィジカルの両方が必要であり、二つは運命共同体のようなものだ。サイバーはフィジカルの足りない点を補い、逆にフィジカルもまたサイバーを補い合う。それゆえに、サイバーフィジカル・システムなのである。

フィジカルでつながる機械・機器が増えると、それに応じてサイバー側協力企業のアプリを開発する動機が高まる。そして魅力的なアプリが増えれば増えるほど多くのエンドユーザーが引き付けられ、それに応じて、フィジカル側での機械・機器メーカーのＣＰＳへの参加意欲も高まる。このようにサイバーとフィジカルの二つの世界の間には、元来、相互促進的に価値を高め合う補完的関係が成立している。

従って競争の焦点は、二つの世界の間にいかに早く好循環を作り出して多くの協力企業を引き付け、仲間づくりを加速できるかという点になる。仲間が増えるにつれて、魅力的なアプリやサービスが続々と誕生するはずだ。そして、その循環は一定の閾値に到達すると、自律的かつ加速度的に回り出し主流のオープンCPSとして定着することになる。

つまり一人勝ちに近い状態が生まれる可能性が高い。これはGAFAの一人勝ち状態に見られるように、プラットフォーム産業の特徴と言って良い。オープンCPSも、その中心にはプラットフォームが存在するのであり、それに準じた状況が生まれると考えるのが妥当であろう。従っていかに早く自律的な循環を構築できるのかが重要なポイントになる。

これはプラットフォーマー単独の努力だけで実現できることではない。オープンCPSにはプラットフォーマー以外に、サイバーとフィジカル二つの世界に協力企業群が存在するからだ。プラットフォーマーと協力企業群は相互に協力し合い補い合って、一つの産業生態系（エコシステム）を形成しているのである。そして繁栄する生態系と衰退する生態系に分かれるのだ。

繁栄するＣＰＳ生態系を作るには

繁栄を目指すには、協力企業の参画動機と貢献動機をいかにして高めることができるのかが重要な一つの鍵だ。それに影響を与えるのが、ファナックと三菱電機の比較で明らかにした三つの相違点である。すなわち、ＡＰＩの実体の違い、アプリの品質管理の違い、そして統治メカニズムの違いという三つの要因だ。

まずＡＰＩの中身の違いはどういう影響を与えるだろうか。ＡＰＩはプラットフォームと二つの世界の境界に存在して二つの世界をつなぐ重要な窓であり、ここを経由してしかプラットフォームにアクセスできないという意味で重要な境界資源である。ＡＰＩの使いやすさと、提供される機能のきめ細やかさなどが、サイバー側協力企業の参画動機と貢献動機に影響を及ぼすだろう。そのような協力企業の目線に立ったＡＰＩをプラットフォーマーが提供できるかどうかだ。

次の影響要因はアプリの品質管理の観点である。それは緩い方がいいのか、厳格な方がいいのかという課題である。一見、緩い方がアプリを自由に出店し販売できるために、協力企業の参画意欲は高まるように思えるかもしれない。だが、そう単純ではないだろう。品質が劣化しているアプリはいずれエンドユーザーの不満を引き起こす危険性が高いからだ。そう考えると、長期の繁栄を目指すならば厳格な品質管理が必要だという見方も成立するだろう。ポイントは、どの程度の管理が最適なのかは自明ではないという点にある。

最後に、ＣＰＳの統治メカニズムの観点がある。強力で独裁に近いようなリーダーシップが良いのか、あるいが集団指導体制が良いのかということだ。これもまたそう単純ではない。前者は効率的で迅速な意思決定ができて責任の所在も明確だという利点はあるが、独善につながる危険性も存在する。他方で後者の場合、共同で意思決定をするために参加する幹事会社の満足度は高まるだろう。また中立色が協力企業の安心感を高めるという側面も否定できない。しかし同時に、意思決定には時間がかかり、極端な場合、衆愚政治に陥る可能性も否定できない。要するにそれぞれ一長一短がある。

これら三つの要因が協力企業の参画動機と貢献動機にどうつながるのか、あらゆる状況にあてはまる最適な解とそれに至る道筋は存在しない。共通して問われることは、プラットフォーマー企業は果たしてＣＰＳ全体の繁栄のために汗をかく意欲と覚悟があるのかどうか、という点だろう。それがなければ協力企業の貢献意欲を引き出すことは難しいのではないか。サイバーとフィジカルの好循環を作り出し、それぞれの産業現場のオープンＣＰＳで主導権を取るには、技術力だけではなくて、このような点をも考慮した戦略の策定と実行が必要になるということである。１９７０年代から始まった機械のデジタル化の流れは、ＣＰＳという概念に集約されつつある。だがそれはまだ始まったばかりだ。来るべきＣＰＳの時代、従来のものづくりとは違う新たな次元の戦略策定と実行が求められると言わざるを得ない。

＊１　医療ＣＰＳの記述に関しては、東京大学大学院の加納信吾教授から、多くの情報提供と貴重な御示唆を頂いた。記して感謝申し上げる。

あとがき――持ち前の現場力をアーキテクチャーで補強する

デジタル化の進展する時代、日本は現場力をアーキテクチャーで補強しなければやっていけなくなるのではないか――、そういう思いから本書の執筆は始まった。

私がアーキテクチャーという不思議な概念に出会ったのは、30年以上も前のことになる。随分と長い付き合いになってしまった。

私は大学を卒業後、ファナックの研究所で開発技術者として、NC装置の基本ソフトウェアの開発に従事していた。当時はマイクロプロセッサの興隆期にさしかかりつつあり、その覇権を巡って米インテル社と米モトローラ社が激しく競争を展開していた。当時ファナックもまた、両社の競争の帰趨を見極めていたように思う。あるNC装置にはインテルのプロセッサを使い、他のNC装置にはモトローラのプロセッサを使うというように、どちらか一社に依存してしまわないようにバランスを取っていたはずだ。

本書で述べたように、プロセッサはソフトウェアで制御される。NC装置の基本ソフトウエアの開発に従事していた私は、プロセッサの技術仕様を理解せざるを得ない。プロセッサの技術仕様に関する知識がなければ、それを制御するソフトウェアを書けないからだ。その結果として、インテルとモトローラ双方の仕様を知るようになったのだが、そのような時に出会ったのが、アーキテクチャーという言葉だった。

インテルとモトローラのプロセッサは、命令セットなどの考え方がかなり異なっていた。ある会議で、インテルとモトローラではどちらのアーキテクチャーがきれいなのか、という激論に遭遇したのが、アーキテクチャーとの初めての出会いだったと記憶している。とりわけ新鮮に響いたのは、アーキテクチャーという技術的概念を「きれい」という感性的表現を使って形容した点だ。技術の判断に際して、きれいなアーキテクチャーかどうかという観点が一つの基準になりうるのだろうか、と当時は驚いたりしたものだ。

その時から30年以上が経過し、その間私は、職場を企業から大学へ変えることになったのだが、アーキテクチャー及びモジュール化は継続してフォローしているテーマの一つである。

冒頭で「不思議な概念」と表現したのは、技術やイノベーションの文脈で使われるアーキテクチャーという言葉にぴったりとあてはまる日本語を見つけることは極めて難しいからだ。

　ちなみに、手元の辞書でアーキテクチャーをひいてみると、まず建築や建設という訳語があり、次に、構造や構成という訳語が出てくる。だがインテル・アーキテクチャーと言う時、建築や建設のことを意味しているわけではないことは明らかだ。プロセッサの構造や構成という意味合いは完全な的外れというほどではないが、決して的中はしていない。かと言って、技術仕様という言葉で表現されるほど、技術の細かな点をアーキテクチャーは問題にしているわけではない。

　あえて言うならば、設計思想という日本語が最も馴染むのかもしれないが、それでもアーキテクチャーの持つニュアンスは抜け落ちているように思う。そのため今では多くの場合、アーキテクチャーという言葉がそのまま使われている。アーキテクチャーを日本語に正確に翻訳できないからだ。

　つまり、日本はアーキテクチャーという言葉にぴったりと合致した日本語を持たないのである。それはおそらく、日本の産業がこれまでのところ、アーキテクチャーという概念を必要としなかったからではないのだろうか。アーキテクチャーのような抽象的で面倒臭いことを事前に考えずとも、走りながら分厚い現場の力を総動員することで何とか事業を回していけたからに違いない。

実はこの「現場」という言葉こそが、日本企業の経営者や企業人が最も良く好んで使う言葉の一つである。ところが現場という概念は、適切な英語に翻訳することが難しい日本語だ。Frontline（最前線）やField（実地）といった英語では、現場という言葉の持つ重要で微妙な意味合いが抜け落ちてしまう。翻訳が難しい日本独自の概念なのだと言って良いだろう。そのため、例えば日本の良さを積極的に取り入れようとする海外企業は、現場をそのまま「Gemba」と表記して使っている。

そして日本企業の持つ稀有な現場力こそが、日本企業を支える屋台骨だという暗黙の共通理解のようなものが存在してきた。私自身の10年以上の製品開発における現場経験を振り返っても、確かに現場の底力を実感する場面に何度か出会った。合理的に考えれば無理難題としか思えないような難問に対しても、持ち前の使命感と責任感を発揮して何とか応えてきたのが日本企業の現場だったのではないか。だが、これ以上現場の力に頼るだけでは、現場は疲弊し劣化してしまうかもしれない、そういう時代状況に入りつつあるように思う。本書で取り上げた幾つかの企業事例からも、その兆しを察することができるに違いない。

では日本はどうするのか。英語に翻訳できない現場という日本独自の概念と、日本語に翻訳できないアーキテクチャーという欧州発の概念。この非対称性に一つの鍵があると思う。言うまでもなく日本独自の強みは大切にすべきだが、それにばかりこだわり続けていては環境変化に柔軟に対応できなくなってしまう。

これまでの日本企業は必要としなかったかもしれないが、今後はアーキテクチャーという概念を積極的に導入することだろう。日本語への翻訳が難しい概念にこそ、日本の弱みを補い産業を強化するヒントがあるのではないか。それによって持ち前の現場力を、アーキテクチャーという概念で補強するという方向性が見えてくる。本書がそれを考えるための一助にでもなればと思う。

本書の出版は、当初の計画より大幅に遅れてしまった。２０２０年初頭からの新型コロナ対応に向けた様々な模索、加えてほぼ同時期に私の職場が変わったことなどの複合的な要因が重なったためだ。そのような大幅な遅れの中でも、折に触れて激励し後押ししてくれた光文社新書編集部の小松現氏に深く感謝申し上げたい。

２０２２年７月

柴田友厚

若松勝（2012）「鉄道システムのモジュール化に関する動向」『鉄道総研報告』Vol.26,No.10,pp.47-52.

■英語

Baldwin, C. & Clark, K.（2000）*Design Rules: The Power of Modularity, Vol.1,* Cambridge, MA: The MIT Press（安藤晴彦訳『デザイン・ルール：モジュール化パワー』東洋経済新報社、2004）

Baldwin, C. & Clark,K.（1997）Managing in the Age of Modularity. *Harvard Business Review,* Vol. 75, No. 5.

Clark, K. & Fujimoto,T.（1990）The Power of Product Integrity. *Harvard Business Review,* Vol.68, No.6.

Henderson, R & K. Clark（1990）Architectural Innovation: The Reconfiguration of Existing Product Technologies and the Failure of Established Firms. *Administrative Science Quarterly,* March, pp9-30.

Prahalad,C.K., & Doz, Y.L.（1987）*The Multinational Mission: Balancing Local Demands and Global Vision,* Free Press.

Simon, H.A.（1981）*The Science of the Artificial (2nd Edition),* Cambridge, Mass; The MIT Press（稲葉元吉、吉原英樹訳 『新版システムの科学』、パーソナルメディア、1987）

Simon, H.A.（1962）The Architecture of Complexity, *Proceedings of the American Philosophical Society, Vol. 106, No. 6,* pp.467-482

Ulrich, Karl（1995）The Role of Product Architecture in the Manufacturing Firm. *Research Policy,* 24, pp419-440.

参考文献

■日本語

荒川秀治（2002）「KOMTRAX STEP 2 の開発と展開」『KOMATSU TECHNICAL REPORT』Vol.48, No.150

井上礼之（2011）『人の力を信じて世界へ』日経ビジネス人文庫

岡本淳（2017）「スマート治療室が実現する Medicine 4.0」『未来医学』、Vol.30, p44-49

佐藤信之（2015）『新幹線の歴史—政治と経営のダイナミズム』中公新書

柴田友厚（2019）『日本のものづくりを支えたファナックとインテルの戦略』光文社

柴田友厚（2021）「グローバルな製品開発戦略の進化」『一橋ビジネスレビュー』SUM. pp.20-31

四家千佳史他（2015）「建機メーカーが描くＩＣＴ建機施工を中心とした建設現場の未来」『KOMATSU TECHNICAL REPORT』, Vol.61, No.168

周硯彦他（2018）「インダストリー４.０へのサイバーフィジカルシステムのアーキテクチャの枠組み」『オペレーションズ・リサーチ』４月号、pp30-37.

鈴木學（2015）「イギリスへの鉄道事業の輸出」（2015 年 2 月 13 日商工会館主催　産業と技術の比較研究会での講演パワーポイント資料）

須藤雅子他（2019）「革新的な IoT プラットフォーム FIELD System」『FANUC　Technical Review』Vol.27　No.1

『日経ビジネス』（2019）「ケーススタディ　ダイキン工業」１月号、pp.64-68.

『日経 Automotive』（2016）「世界標準車プリウス」１月号、pp.34-57.

本文図版作成　デザイン・プレイス・デマンド

柴田友厚（しばたともあつ）

1959年北海道札幌市生まれ。学習院大学国際社会科学部教授。東北大学名誉教授。京都大学理学部卒業。ファナック株式会社、笹川平和財団、香川大学大学院教授、東北大学大学院教授を経て2020年から現職。筑波大学大学院経営学修士（MBA）、東京大学大学院先端学際工学博士課程修了。博士（学術）。主な著書に『日本のものづくりを支えた ファナックとインテルの戦略』（光文社新書、2019年）、『イノベーションの法則性』（中央経済社、2015年）、『日本企業のすり合わせ能力』（NTT出版、2012年）、『モジュール・ダイナミクス』（白桃書房、2008年）、共著に『製品アーキテクチャの進化論』（白桃書房、2002年）などがある。

IoTと日本のアーキテクチャー戦略

2022年8月30日初版1刷発行

著　者 ── 柴田友厚

発行者 ── 三宅貴久

装　幀 ── アラン・チャン

印刷所 ── 堀内印刷

製本所 ── 国宝社

発行所 ── 株式会社光文社
東京都文京区音羽1-16-6(〒112-8011)
https://www.kobunsha.com/

電　話 ── 編集部03(5395)8289 書籍販売部03(5395)8116
業務部03(5395)8125

メール ── sinsyo@kobunsha.com

 ISBN 978-4-334-04621-7

光文社新書

1213
いままで起きたこと、これから起きること。
「周期」で読み解く世界の未来
高城剛
社会は循環し、万物に周期が存在する。2020年代の現在、あらゆる分野のサイクルが幾重にも重なる転換点に立っている。時代の大波を知り、サバイブするためのヒントを共有する。
978-4-334-04606-4

1214
IoTと日本のアーキテクチャー戦略
柴田友厚
いま、なぜアーキテクチャー戦略が重要なのか？　トヨタ、ダイキン、コマツ……世界で成功している企業から何が学べるか？二つの重要なキーワードから、日本企業が採るべき道を探る。
978-4-334-04621-7

1215
会話を哲学する
コミュニケーションとマニピュレーション
三木那由他
会話とは言葉をもって互いに影響を与え合う営みなのか？　漫画や小説などを題材に、コミュニケーションとマニピュレーションという二つの観点から、会話という行為の魅力を解き明かす。
978-4-334-04622-4

1216
昭和の東京郊外　住宅開発秘史
三浦展
戦後、住宅難から発生した土地開発バブルによる悲喜こもごものドラマを経て郊外は発展していった。当時の不動産チラシをもとに跡地を訪ね、家と町の歴史を考証する新しい住宅史。
978-4-334-04623-1

1217
農家はもっと減っていい
農業の「常識」はウソだらけ
久松達央
「農家」の8割が売上500万円以下という残念な事実／農地転用という農家の「不都合な真実」／――農業に関する様々なウソに丁寧に反論し、これからの日本の農業のあり方を考える。
978-4-334-04624-8